Seducido

Relatos Eróticos Homosexuales para Adultos

MANUEL GARCÍA

Notas

Manuel García © 2023

Estas novelas son totalmente una obra de ficción. Los nombres, los personajes y los acontecimientos que en él se representan son producto de la imaginación del autor. Cualquier parecido con personas reales, vivas o muertas, sucesos o lugares es totalmente casual.

Ninguno de los personajes representados en estas historias es menor de 18 años, está ligado por la sangre o participa en actos de los que no desea formar parte.

¡Sígueme!

Haz clic aquí o escanea el código QR para seguirme (¡hay cuatro historias gratis esperándote!)

allmylinks.com/erosandlovegay

Índice

1. Una verdadera degustación

Querido diario.... Hoy tengo que contarte lo que me ha pasado esta tarde. Como de costumbre, fui al cine que más frecuento para disfrutar de unas horas de relax y ver una buena película de cine rojo. A menudo veo otras cosas que suceden a mi alrededor durante la proyección: espectadores que se masturban o se hacen masturbar, u otros que se dejan follar por algún viejo que siempre busca una buena polla que chupar. Sé algo al respecto porque más de una vez he participado personalmente en uno de estos encuentros, sobre todo en el papel del tipo que mete su polla en la mano o en la boca de una desconocida y luego lo disfruta. Sin embargo, hoy decidí que había llegado el momento de devolver, en cierto modo, parte de la atención que había recibido en el pasado. Quería ser yo quien, por una vez, eligiera una buena polla para endurecerla y correrse con mis prácticas de masaje manual y oral.

Así que, tras pagar la entrada, tomé las escaleras que conducen a la zona del cine más frecuentada por la gente que busca "aventuras": la galería. Como de costumbre, esta parte del cine estaba completamente envuelta en la oscuridad, excepto por la única fuente de luz, la lejana pantalla de proyección. Tambaleándome un poco, llegué a la parte superior de los escalones de la galería, intentando no tropezar con los escalones y equilibrándome en la barandilla de mi derecha. En la cima esperé un par de minutos para que mis ojos se adaptaran a la escasa luz y poder evaluar la situación en la sala. Al final conté cuatro personas sentadas en los asientos de la galería y sólo una de pie contra la pared del fondo en el mismo piso que yo. Debíamos estar a tres o cuatro metros de distancia como máximo, pero no pude distinguir sus rasgos.

Al acercarme al muro pude ver, a un metro y medio de distancia, que se trataba de un hombre de pelo gris, de estatura y complexión medias. Podía tener entre cuarenta y cuarenta y cinco años y enseguida me di cuenta de que tenía la mano izquierda en el bolsillo del pantalón y la llevaba hasta la bragueta. Se estaba "tocando" mientras veía la película. Me acerqué a él con movimientos imperceptibles hasta situarme a su lado. No pareció darse cuenta de mi presencia, ya que estaba muy concentrado en la película y en su masaje. Me dije que tenía que aprovechar la oportunidad que se me presentaba, también en vista de que las pocas personas presentes me permitirían actuar con cierta tranquilidad, así que entré en acción. Con la mano derecha empecé a rozar primero y a palpar después los pantalones del hombre a la altura de la entrepierna. Su reacción fue sacar la mano del bolsillo del pantalón, dejándome libre para inspeccionar cuidadosamente toda la zona de su bajo vientre, que ya estaba hinchado. Bajo la capa de tela de sus pantalones se podía sentir su eje casi totalmente erecto y sus testículos ahora cargados de semen maduro.

En este punto era fácil ver que no se resistiría y primero le bajé la cremallera del pantalón y deslicé mi mano derecha dentro. Enseguida me di cuenta de que había venido al cine con la intención de echar un polvo, si no, ¿cómo podría explicar el hecho de que no llevara calzoncillos ni bóxers? Además, me invadió una fuerte emoción cuando empecé a acariciar aquella maravillosa polla, porque estaba dura y al mismo tiempo aterciopelada, sin el menor rastro de pelo en el tronco o en el escroto. Así que no pude evitar sacarlo del pantalón para intentar admirar su belleza (en la medida en que la escasa luz lo permitía). Una vez liberada por completo, junto con los testículos, de su escondite, la polla estaba en realidad completamente erecta, con el glande todavía "encapuchado" y apuntando hacia arriba. Lo primero que pensé fue: "Qué suerte. Una bonita polla sin circuncidar con muchas ganas de disfrutar". Mientras hacía esta breve reflexión, me arrodillé frente a él y empecé a lamer y chupar sus bolas turgentes. Casi me costó meterme todo el escroto en la boca, pero en algún momento lo conseguí y en ese momento oí al hombre gemir. Después de una sabrosa sacudida con la lengua en los cojones, me metí la punta de la polla en la boca y simultáneamente se me escapó el glande. Afortunadamente, sabía a jabón.

Deliciosa. Agarrando el carnoso eje con la mano derecha y masajeando los testículos con la otra, empecé a golpear el frenillo con la punta de la lengua, haciendo vibrar el glande, ya turgente hasta el espasmo. Cuando dejé este ejercicio y aparté la boca de la polla, me di cuenta de que mi lengua y mi glande estaban unidos por un hilo viscoso muy fino que tenía un sabor dulce al paladar. En mi excitación, una gota del dulce semen de aquella hermosa polla se había escapado antes de tiempo, pero no se perdió. Evidentemente, había llegado el momento de concluir el acto, por lo que mi rápido asalto final con golpes de lengua en la cabeza hasta el fondo de la boca, acompañados de masajes simultáneos en el escroto, produjeron el resultado esperado. La rigidez del cuerpo del hombre me advirtió del comienzo de la corrida. Sentí tres chorros en mi boca. La primera era la más abundante, caliente y densa. Los dos siguientes chorros fueron progresivamente menos consistentes, pero me llenaron la boca de aquel exquisito jugo. Tuve que escupir un poco para no atragantarme, pero quise disfrutar de cierta cantidad con calma mientras el desconocido seguía jadeando en los espasmos de su orgasmo.

Mientras tanto, pensando que la relación había llegado a su fin, me levanté de nuevo y me di cuenta con asombro de que mi polla seguía en la misma posición que cuando la había sacado de los pantalones: completamente erecta. No podía dejarlo en ese estado y como ahora estábamos en el parque de bolas.... decidí completar el trabajo. Con el índice y el pulgar de mi mano derecha comencé a frotar suave y rápidamente el glande y el frenillo de aquella maravillosa polla y al cabo de un minuto vi una nueva eyaculación acompañada de un gemido del hombre. Todo el semen, en este caso, había goteado en mi mano y lo utilicé como ungüento extendiéndolo a lo largo del eje de carne dura y de los testículos del desconocido. En ese momento le dije en voz baja al hombre mientras me acercaba a su oído que tenía una polla preciosa y que esperaba que disfrutara del trato que le había dado. Todavía le faltaba el aire, pero respondió: "Sí, me ha gustado, pero todavía quiero correrme". En ese momento, mi mirada bajó a su polla, que seguía increíblemente "dura". No me permití repetirlo dos veces y volví a llevármelo a la boca para chuparlo por segunda vez y hacer que se corriera por tercera.

Esta vez, sin embargo, dirigía el espectáculo manteniendo mi cabeza quieta para follarme por la boca yendo y viniendo con su pelvis durante varios minutos. De vez en cuando hacía una pausa para sacar su polla y golpear mi lengua con la punta del tronco sostenida entre sus dedos fuera de mi boca abierta. Finalmente, en una de las fases en las que la polla estaba en mi boca, el hombre se puso rígido de nuevo liberando un último chorro del dulce semen de sus testículos. Tras disfrutar también de este delicioso "tentempié", me aseguré de que el desconocido no tuviera más deseos inminentes que satisfacer. Seguí acariciando con mis manos aquella maravillosa polla que por fin se estaba relajando hasta que estuvo en condiciones de volver completamente encapuchada en el pantalón del que la había extraído media hora antes. En ese momento, el propietario, evidentemente satisfecho, me dio las gracias y se fue. El sabor de su semen permaneció en mi boca durante varias horas y los temblores de sus orgasmos en mi memoria. Quién sabe, tal vez algún día nos volvamos a encontrar (eso esperamos).

2. Mi amante me convierte en una esclava del placer

Desde la sala se podían ver los mercados generales. En albornoz, Paolo estaba de pie frente a la ventana observando a la gente que se agolpaba para trabajar frente a la entrada principal. Cuando me levanté de la cama para ducharme me miró sonriendo. Me había hecho para las fiestas, su semen aún estaba en mi cara y mi culito estaba dolorido por el calor que había puesto al follarme.

En el cuarto de baño me quité los calzoncillos y el tanga y me metí en la ducha. A pesar de todo, seguía excitada: vestirme como una mujer, ser tratada como una puta, me volvía loca. Cogí mi polla y en la ducha la golpeé hasta que me corrí. Volví a mi habitación completamente desnudo para buscar mi ropa masculina y salir.

"¿Qué haces?", preguntó Paolo con su habitual impetuosidad. "Me estoy vistiendo", respondí alegremente, aunque parecía una respuesta obvia. Se acercó a mí y me atrajo hacia él y empezó a besarse conmigo furiosamente. Se apartó y "¡Hoy me vas a hacer feliz y vas a hacer lo que te diga!", exclamó, dejando claro que no había lugar a la negociación. "Hoy llevarás un tanga todo el día, luego podrás vestirte normalmente, pero tus bragas serán las de zorra que te convienen". Siguió un momento de silencio, y entonces intenté protestar: "Pero, ¿y si alguien me ve?", sonrió. "De todas formas, te gustaría que todo el mundo supiera lo puta que eres", me cortó sin darme más medios con los que rebatir.

Volví a buscar el tanga que había quedado en el baño y me lo puse tranquilamente. Seguía mirando por la ventana diciendo "Esta noche quiero que me obedezcas ciegamente, esta noche serás mi puta pero de una forma diferente a la habitual" no contesté me limité a mirarle. "¡Cuando llegues aquí encontrarás un paquete, ponte su contenido y espérame en el baño! ¿Está claro?", respondí afirmativamente. Me vio vestirme de hombre, atarme el pelo largo en una cola y prepararme para salir. Nos dimos un beso de despedida y él sonrió y añadió: "¡No muevas mucho el culo con ese tanga que llevas, si no todo el mundo sabrá que eres una putita! Salimos de casa con esa frase resonando en mi cabeza.

A lo largo del día, no hice otra cosa que sentirme emocionado. Cada vez que un hombre me miraba, me preguntaba si podía imaginar la realidad de las cosas. Y eso me excitaba cada vez más. Afortunadamente, eran las 7 de la tarde y fui a casa de Paolo.

Según lo acordado, entré en la casa y encontré un paquete. Contenía un vestidito comprado en una tienda de colegialas sexy. Tenía una falda de cuadros verdes y una blusa blanca con un bonito tanga y unas medias blancas que me llegaban a la rodilla. Me preparé con cuidado, me maquillé y esperé a Paolo en el baño. Eran cerca de las veinte cuando oí que se abría la puerta y escuché "Por favor, siéntese en el sofá" y me quedé petrificada. ¿Qué estaba pasando?

Atravesó la puerta del baño y no dijo nada, miró cómo estaba vestida y luego me besó. "Ahora haz lo que te digo, ya que anuncié que hoy sería diferente, y quiero que hagas lo que te digo" me encontré tragando y asintiendo. Por un lado, preocupación, pero por otro, entusiasmo. Paolo sacó un collar de su chaqueta y me ayudó a ponérmelo, luego le ató una correa, me dio un tirón y me dijo que le siguiera.

Llegamos a la sala de estar y había un tipo viejo sentado en el sofá, era bastante desagradable de ver, obviamente con sobrepeso, calvo y sudoroso. Paolo me arrastró ante él, me puso de espaldas y le mostró mi culito y luego, dándome la vuelta de nuevo, me bajó el tanga para que pudiera ver mi polla. "Qué putita" dijo el desconocido con una vocecita babosa con acento sureño. Paolo me dijo "ponte a cuatro patas perra" y yo obedecí mientras el tipo se desnudaba. Cuando se quedó solo en ropa interior, me dirigí hacia él a cuatro patas. El tipo me miró con sus ojos translúcidos y sonrió mientras me llevaban hacia él. "Es una hermosa y obediente putita, ¡vamos a ver cómo lo hace!", dijo bajando unas bragas que eran tan repugnantes como él. No quería hacerlo con ese tipo, era asqueroso, paré pero recibí una nalgada "Ve a chupar y no protestes" fue la orden perentoria de Paolo. Me encontré con la polla del viejo delante de mi boca y, sorprendentemente, después de unas cuantas lamidas, resultó ser una polla muy grande. Se había endurecido y su longitud y anchura dificultaban su permanencia en mi boca. Hice lo que pude para chuparla de todos modos, esperando que llegara lo antes posible. Pero nada, ese baboso con esa enorme polla estaba disfrutando alegremente, mientras me obligaba a lamerle los huevos y esa enorme herramienta. Detrás de mí Paolo se bajó y me quitó el tanga y empezó a lamerme el agujerito, una práctica que me estaba volviendo loca y que él conocía bien y luego empezó a rociarme de lubricante con sus dedos entrando y saliendo de mi agujerito.

Al cabo de un rato me levantó y me quitó el tanga, Paul me puso de espaldas al viejo y me obligó a sentarme sobre esa polla. "Quiero ver tu cara de zorra mientras te abre en dos", dijo con una sonrisa sádica. El tipo mantenía su polla firmemente apuntando a mi agujero y yo me bajé y le dejé entrar lentamente mientras gemía y gimía. En cuanto estuvo lo suficientemente dentro, me ordenaron que me moviera hacia arriba y hacia abajo.

Empecé a hacerlo gimiendo mientras me movía sobre esa polla, delante de mí estaba Paul mirándome pajear su polla. Al cabo de un rato, empecé a moverme hacia arriba y hacia abajo con un buen ritmo acompañado de la aprobación del desconocido. Esa polla me hizo morir de placer, fue una de las primeras veces que mi polla se puso dura mientras me follaban. Y al cabo de un rato, al soltarme más y más, me agarró un calor repentino que salió de mi culo y me corrí violentamente sin que nadie me tocara. Estaba tan agitado que me levanté y me saqué la polla del culo. Esto fue la excusa para que el viejo me pusiera de espaldas y empezara a follarme con fuerza, ignorando mis gemidos y gritos. Sólo se detuvo cuando alcanzó el clímax y sacó su polla para correrse en mi culo. Unos instantes después, Paolo también se acercó a mi cara. Me dejaron a cuatro patas en el suelo, lleno de semen chorreando por todas partes. Fue a partir de entonces cuando supe lo que se sentía al ser una puta, y fue a partir de entonces cuando supe que me gustaba.

3. ¿Soy gay?

El lunes por la mañana en la carretera, en parte mirando por la ventana del tren y en parte dormitando. Llego puntualmente al mediodía, un primer plato en el asador e inmediatamente al hotel. Limpio y acogedor, cama doble aunque esté solo, estaré más cómodo. Antes de ducharme, llamo a mi mujer para decirle que he llegado. Hablamos un poco y cerramos. Después de una vida en común no es fácil encontrar nuevos temas. Abro el agua pensando en la reunión de la tarde de los responsables de zona del norte de Italia, me encontraré con casi las mismas caras de siempre, escucharé las mismas voces y los mismos temas. Cuando quedan pocos años para la jubilación, todo parece monótono, igual. La obra es bella e interesante, pero la edad y el tiempo la hacen menos importante que en el pasado. La pequeña sala de conferencias es hermosa y acogedora, y me hace olvidar el frío y la lluvia de aquel frío noviembre. Al entrar, reconozco a muchas personas que he visto en reuniones anteriores, junto con algunas caras nuevas. Presentaciones y apretones de manos. Mientras el informe del presidente y del gerente se desplaza por los papeles y la tableta para finalizar mi informe.

A mi lado hay una cara nueva, nos presentamos aunque hayamos hablado por teléfono, es el nuevo encargado de la zona limítrofe a la mía. Es unos años más joven que yo, es sociable y agradable para hablar, una persona que parece un poco tímida como yo, y congeniamos enseguida. Las horas pasan entre informes, predicciones y pausas para el café. A eso de las diecinueve, el presidente concierta una cita para la mañana siguiente, y el grupo se separa con algunas despedidas. Fuera hace frío pero no llueve, así que pienso en ir andando al hotel. Llego allí después de media hora de camino. Necesito otra ducha, una caliente, siento el deseo de calor para calentar no sólo el cuerpo. Llamo a mi mujer, está más desganada que de costumbre, monótona, apenas puedo escucharla mientras me cuenta su tarde. En la conserjería del hotel pregunto dónde puedo comer y me muestran un restaurante. Hay uno más cerca, pero el conserje me dice, con una pequeña sonrisa, que no es adecuado para mí. Siento curiosidad y le pregunto por qué. Me dice que la comida es muy buena y está muy limpia, pero que sólo la frecuentan los homosexuales. Sólo gays y lesbianas. Respondo torpemente a la sonrisa sarcástica y salgo. El portero me dice que a partir de las veintidós para entrar tengo que usar la tarjeta magnética porque no hay nadie. Al cabo de unos pasos empieza a llover y tengo la maldita costumbre de no llevar el paraguas. Leí el cartel del club particular que decía el portero, el club GL. Sigo adelante, pero entonces algo sucede en mi cabeza. Me detengo, me doy la vuelta y vuelvo.

La entrada es bonita y elegante, creo que no es un club privado y, al fin y al cabo, cualquiera puede ir a comer. Luego llueve y así, mentalmente, me excusan. La verdad inconsciente es que nunca he entrado en un lugar como éste y tengo una maldita curiosidad. Nada más entrar me encuentro con una chica detrás de un pequeño mostrador que me saluda con una sonrisa y me pregunta si quiero comer. En la mía, toca un botón en la pantalla del ordenador y llega un camarero para acompañarme a mi mesa. las luces son tenues pero no está oscuro y hay un pianista que toca muy suavemente.

Me siento y cojo el menú. La voz que oigo detrás de mí me deja helado: Hola, qué casualidad. La reconozco sin darme la vuelta: es la nueva compañera que conocí en la reunión de la tarde. Lo encuentro de pie frente a mí. Intento abrir la boca y decir algo pero me detiene: No tienes que encontrar justificaciones para estar aquí, yo también debería encontrar algunas y la mayoría de la gente de aquí. ¿Quieres que cenemos juntos? Espero un par de segundos y digo que sí. Hablamos del trabajo y luego de la vida. Me dice que también está casado, que no es gay, pero que tal vez sea bi. Le confío que somos muy parecidos. Ha estado aquí un par de veces, le gusta la comida y la calidad del lugar. Nos confiamos cada vez más, quizá también el vino que ayuda a desinhibirse. Él ha tenido algunas relaciones homo de niño, yo sólo las tuve de adolescente, luego nada para los dos. Me pregunta cuánto tiempo hace que no tengo relaciones sexuales y le digo que ni siquiera me acuerdo, años. A estas alturas, explico, me cuesta ponerme duro y nunca lo suficiente como para tener relaciones sexuales y por eso dejamos de hacerlo, aludiendo a mi mujer. Dice que se la folla pero sólo para complacerla un poco.

Salimos de esa larguísima cena y, sin darnos cuenta, caminamos hacia mi hotel. Nos detenemos frente a la puerta, llueve un poco y siento algo en mi interior, pero tengo miedo de admitirlo incluso a mí misma, y menos aún de confiárselo a él. En un momento dado llega el golpe de gracia para mi mente: ¿Te importa que sigamos arriba para hablar, aquí hace frío y llueve? Espero la respuesta, estoy desgarrada y asustada pero, impensadamente, emocionada. No contesto y cojo la tarjeta para abrir la puerta y me sigue. Nos sentamos en la cama y él enciende la televisión. Conecta su smartphone a él y me pregunta: Cuando te masturbas, ¿qué vídeos ves? Y yo: travestis maduros, transexuales, gays negros, etc. Esa respuesta me costó no sé qué, ahora estaba completamente expuesto. Comienza a desplazarse por los vídeos de su teléfono móvil que aparecen en la pantalla del televisor. Es una persona muy discreta, educada, amable y no es gay. Tal vez. Al cabo de un rato, se baja los pantalones y los calzoncillos, tiene una hermosa polla, se la toca y se escapa completamente sin decir una palabra. No me excitan los hombres, pero las pollas sí, es bonito, duro y húmedo. Me pregunta si yo también quiero hacerlo, le digo que sí pero me da vergüenza porque el mío es más pequeño y flojo. Su respuesta es hermosa: no estás con una mujer, no tienes que demostrar nada.

Me desnudo y en poco tiempo estamos desnudos. Antes de que me siente, me atrae hacia él y me coge la polla con la mano. Es pequeño y casi completamente flácido. La sacude y la sacude un poco, luego se acerca y empieza a besarla y lamerla. Siento que un escalofrío va desde mi pene hasta mi cabeza. Mi polla está toda en su boca, la chupa con fuerza mientras le da golpecitos a la cabeza con la lengua. Estoy excitada sin medida, pero mis inhibiciones no ceden. Mi erección es baja y toda mi pasividad sale a flote. me hace tumbar en la cama y se pone encima de mí, su hermosa polla cuelga sobre mi cara, la cojo con la mano, la masturbo y siento como empuja para meterse en mi boca. Lamo la capilla morada y húmeda, tiene un sabor dulce. Hace movimientos lentos y suaves dentro y fuera de mi boca y me pide que se la chupe. He visto en vídeos porno que algunas personas se la meten hasta la garganta y quiero saber qué se siente, ya estoy loca de deseo. Pongo mis manos en sus nalgas y lo empujo hacia mí, siento su polla entrando en mí, tengo una ligera arcada pero resisto, me siento sin aliento pero lo quiero, todo.

Cuando no puedo aguantar más le hago apartarse, junto con su polla, la saliva y sus humores salen de mi boca y gotean sobre mi cara. Le digo que deje de chupármela o me correré. Se resiste mucho pero se excita hasta el paroxismo. Me dice: ¿Quieres disfrutar libremente y mucho? Por supuesto que sí. Yo respondo. Entonces, adelante, tienes que decir todo, realmente todo, lo que piensas, lo que sientes, lo que quieres. Eso es lo que haré. Le explico, con la última pizca de timidez que me queda, que me gusta que me insulten y me humillen.

Me responde que haría falta un ama y nos reímos un poco, pero que hará lo que pueda y me pregunta hasta qué límite. No hay límite, respondo. Me da la vuelta y me pone de espaldas, coge el sobre de crema de manos del hotel y me lo frota en el culo. Introduce un dedo, luego dos. Alguien te ha roto el agujero, ¿no? Sí, respondo. ¿Te gusta que te den por el culo? Sí, así es. Cuéntame. Cuéntame. Sí, me gusta que me la metan por el culo, quiero tu polla dentro, dámela, llena mi agujero, por favor. Sus dedos dan vueltas dentro de mí, estoy abierta y preparada. Los saca y coloca la cabeza en el agujero. Ahora me doy cuenta de que es grande, parece imposible que entre. Es muy dulce, lo hace todo muy despacio, sin prisas. Me dice frases para excitarme: Empuja, el agujero se abre. ¿Sabes que eres un maricón que quiere pollas? Te gusta la polla en el culo. Ábrete para que pueda hacer que te corras. Lo siento venir, tengo un ligero dolor pero lo deseo, el deseo es demasiado fuerte. En algún momento pasa el esfínter anal y entra, todo, todo, todooooo. Estoy abierta, llena de su polla. Aumenta el ritmo y se deja llevar: Tómalo puta, toma mi polla puta, vamos disfruta de tu culo como los maricas, disfruta, disfruta, disfruta puta. Alargo la mano para tocarme la polla, apenas la encuentro porque está muy flácida. Cola como un coño.

Cojo mi polla y mis huevos con la mano y los aprieto con fuerza, siento una sensación de dolor pero se convierte en placer y viene detrás. Retiro la mano, no quiero correrme ahora, quiero prolongar indefinidamente ese placer que sale del culo. Entiendo que está a punto de gozar, me dice: ahora me voy a correr dentro de ti, te voy a llenar el culo con mi semen caliente, toma mi semen de vaca, vamos tómalo, gozo, me corro, me corro, me corroooooo. Siento el primer chorro de semen entrando en mí, luego otro, y más, más. Termina de correrse y se detiene. Se tumba sobre mi espalda y lentamente, lentamente, siento que su polla se va quedando flácida hasta que sale sola de su culo. Estoy tan satisfecha como si me hubiera corrido, pero él es generoso. Me hace tumbarme de espaldas y se lleva la polla a la boca. En ese momento me doy cuenta de lo mucho que lo sigo deseando.

Me mete dos dedos en mi culo aún abierto y chorreante de semen y me masajea la próstata. No puedo resistirme, digo que no, que sí, que es demasiado, que venga otra vez, que siga, así, así, así. El orgasmo comienza desde mi espalda, mi vientre, no sé. El semen que sale es como el fuego, quemando mi polla. Se lo lleva todo a la boca. Imagino que se la traga y, en cambio, cuando todavía estoy a un momento del final, saca su boca de mi polla y la pega a la mía abierta. Siento mi semen goteando en mi boca junto con su saliva, lo abrazo fuertemente contra mí. Nos besamos como nunca antes lo había hecho, como nunca pensé que lo haría. Nos tumbamos uno al lado del otro en silencio, sin tocarnos. Le digo que me voy a duchar. Cuando salgo ya no lo encuentro. En la cama una nota: eres maravillosa. Al día siguiente nos reunimos de nuevo. Ni una palabra sobre lo que había pasado, ni una mirada ni una señal. Por la noche nos despedimos con un apretón de manos y un: hasta pronto. Luego tren, taxi, a casa. Entonces...

4. La historia de Max

En la vida hay ocasiones que evolucionan en tiempos que a menudo son muy largos y dejan una huella más o menos marcada; otras, en cambio, duran un parpadeo y dejan una huella indeleble en la memoria, en el cuerpo y en el corazón: así fue para mí mi historia con Max, la más corta de todas las que he tenido, que duró sólo una hora; pero resultó ser una hora inolvidable.

Se desarrolló como todas las historias de este tipo, nada sensacional; pero la personalidad de Max hizo que el encuentro fuera muy intenso, sobre todo porque se vio favorecido por mi muy débil personalidad, atraída por las personalidades fuertes.

Había contactado con él en el chat, donde, como era su costumbre, buscaba parejas, proponiéndose como acosador en tríos, sin ningún problema si el hombre de la pareja era operativo o contemplativo, si también tenía un papel activo o era también bisexual.

No era fácil encontrar la pareja adecuada y durante mucho tiempo había buscado, contactado, chateado; había descartado a muchos porque sentía que no se ajustaban a mis necesidades; la vez que me encontré chateando con Max, sentí que había algo inefable en nuestro diálogo que despertaba el interés de ambos.

Le hice muchas preguntas sobre sus experiencias y me di cuenta de que estaba ante un hombre de carácter decidido, perentorio en sus órdenes, más que en sus sugerencias, decidido a llegar hasta el final cuando encontrara a la persona adecuada, en definitiva, el macho dominante al que me hubiera gustado oír destripar; pero enseguida declaró que también había tenido relaciones con machos, pero que en su mayoría eran cornudos con los que sólo actuaba en presencia de sus esposas, penetrándolas a veces analmente, a petición y con la ayuda de sus esposas.

No se interesaba por el varón en sí mismo, sino que lo aceptaba sólo en función de la relación con la mujer; en esto, su relato era siempre rico en detalles, propuestos sin embargo de forma sobria y elegante; me di cuenta de que cada vez me fascinaban más sus relatos, de que lo admiraba por su capacidad de dominar las situaciones y de conquistar a las personas; para mi carácter manso y sumiso, la idea de que me dominara como controlaba a los varones de sus relatos era la máxima de las aspiraciones; Si dejaba volar mi imaginación, cuando me contaba la penetración real, momento a momento, no sólo de las hembras, en la vagina, en la boca o en el ano, sino también y sobre todo de los machos agachados frente a él, incluso físicamente, mientras sus esposas preparaban el ano para la penetración; en fin, cuando le oía contarlo, casi tenía la sensación material de que su polla atravesaba mi esfínter y me desgarraba el recto, proporcionándome un placer absoluto e indefinible.

A partir del segundo o tercer contacto, le revelé la verdadera naturaleza de mi indagación, y le manifesté mi admiración por él y por los hechos que me relataba; apelé a todo mi valor y le pregunté si podría interesarle la idea de reunirse conmigo a solas; como era de esperar, al principio, casi indignado, rechazó mi propuesta; luego, por razones que nunca conocerán, tal vez porque le intrigaban mis maneras, planteó la hipótesis de un posible encuentro rápido dentro de sus obligaciones de trabajo y placer.

Era representante de ventas y tenía asignada la zona en la que yo trabajaba; me prometió que una tarde, al volver de sus viajes de negocios, si le apetecía, se pasaría por mi despacho; en aquella época, yo trabajaba en una oficina, en un almacén de la zona industrial de Padua; Al final de la jornada laboral, a menudo me quedaba solo hasta tarde y tenía la tarea de cerrar; esto me facilitaba la organización de cualquier reunión después de la hora de cierre; lo había experimentado felizmente con una mujer con la que tenía una relación tormentosa en ese momento, y nos habíamos llevado de maravilla.

Al final, a pesar de su perplejidad, intercambiamos los números de los teléfonos móviles y nos prometimos esperar una oportunidad favorable, si se presentaba; pasaron algunas semanas y casi había perdido de vista el proyecto; de hecho, ahora me resignaba a no correr el riesgo, como tantas veces había hecho, de poner buena cara a una mala partida, y ver desaparecer un plan que había bordado en mi imaginación; Prácticamente me había olvidado de él, y por eso me sorprendí tanto cuando, una tarde de febrero, me encontré leyendo en mi teléfono móvil un mensaje suyo, incisivo y perentorio, como era su carácter; Esta noche, si quieres, me pasaré a las 20 horas; dame la dirección"; quería, claro que quería; el corazón me saltó a la garganta, tuve que esperar unos instantes para que la emoción se enfriara y me permitiera hacer los gestos adecuados; Finalmente, me decidí y conseguí enviarle la dirección con la recomendación de que me llamara sólo después de haber dado mi permiso; pasé el resto de la tarde presa de una ansiedad cada vez más intensa; la tensión crecía a cada hora, no había nada previsto ni previsible, no tenía ni idea de cómo se desarrollaría ese encuentro.

Por fin, después de que todos se hubieran ido, le envié el mensaje de que el camino estaba despejado y que podía reunirse conmigo; pero no es fácil para nadie orientarse en la vecindad en la que me encontraba, y al cabo de unos diez minutos volvió a llamar; respondí con el corazón en la garganta, temiendo que la reunión en la que ahora se concentraba todo mi ser fracasara de repente por cualquier motivo; Me encantó oír su voz rasposa y decidida pidiéndome más información sobre el destino; ni siquiera estaba tan lejos, pero el navegador le estaba engañando y pude oír por el tono de su voz que estaba molesto; le conduje hasta que vi que su coche, que me había descrito, entraba en el aparcamiento y se detenía.

Le vi bajar las escaleras; era tan alto como yo, también de unos cincuenta años; moreno, con el pelo canoso y el rostro serio, sus rasgos angulosos y vividos; entró con confianza, me cogió la mano sin decir nada más, y luego miró a su alrededor como para entender a dónde había venido; el despacho estaba muy bien iluminado, con grandes ventanas veladas por cortinas no demasiado opacas; Me preguntó bruscamente qué tipo de actividad se desarrollaba allí, le contesté brevemente pero parecía desconcertado; comprendí que se preguntaba dónde era posible encontrar intimidad; le dije que me siguiera, entramos en otro despacho inmerso en la penumbra; un poco de luz se filtraba de la luz exterior de la calle a través de los paneles de las cortinas y más luz provenía de las luces encendidas de los servidores que zumbaban en la penumbra.

Nada más entrar, se quitó inmediatamente el abrigo y lo puso en el perchero; yo estaba, como era de esperar, tenso como la cuerda de un violín y me preguntaba qué pasaría ahora, qué haríamos, cómo me poseería; No tuve tiempo de decidir cómo comportarme, porque con un gesto brusco, absolutamente imprevisto y tal vez imprevisible, abrió repentinamente la solapa de su pantalón y extrajo su miembro que, aún casi completamente flácido, era sin embargo notable y me produjo inmediatamente un intenso placer que me hizo estremecer el vientre, imaginándolo de pie, hendiendo mi ano y penetrándome profundamente en mi vientre.

No había esperado un comienzo tan repentino, sin preámbulos; lo que había soñado era una relación más tranquila, más suave, más larga, en la que él se comportara como un verdadero amante, acariciándome, besándome, haciéndome sentir su fuerza dominante, antes de pasar directamente a la posesión real; En cierto modo, había soñado con el cuento de hadas de la niña que espera al príncipe azul, sólo que el mío iba a venir con un enorme falo erguido y lo iba a introducir con fuerza en mi boca, hasta violar mi garganta, y luego en mi ano hasta atravesar mis intestinos; Me encontré ante un hombre decidido, aunque con modales muy educados, casi elegantes, de caballero, que hacía transpirar su papel de alfa de cada movimiento, incluso el más insignificante, del dominador que no pide, sino que toma, que no da, sino que otorga; de hecho, para mi carácter, ésta era exactamente la actitud que prefería; pedía ser sometida, ser dominada, no con violencia masoquista, sino con determinación masculina; quería ser poseída por un verdadero macho.

Me cogió por el hombro, me empujó hacia abajo y, sin tener siquiera tiempo de pensar, me encontré de rodillas con el objeto de mi deseo ante mis ojos, con el que había soñado durante días, su miembro de más de veinte centímetros de largo y tan ancho como una lata pequeña, erguido como un obelisco y hermoso de ver; No me dio tiempo a detenerme para admirarlo, porque sin dudarlo empujó la punta contra mis labios, me hizo abrirlos y me introdujo el palo en la boca, sin violencia, en realidad, pero con una decisión que lo hizo llegar hasta el fondo y me provocó unas pequeñas arcadas muy bien controladas.

Estaba aturdida, no estaba preparada para una evolución tan rápida del encuentro; sólo había pasado un minuto desde que había entrado y ya estaba en plena felación; como siempre me ocurre cuando tengo la suerte de tener un miembro en la boca, perdí todo conocimiento de mí misma y me abandoné a un éxtasis cada vez más intenso y envolvente; Su pene era decididamente grande y muy duro, ideal para mi lujuria que estallaba en ese momento; no se había bajado los pantalones, sino que sólo se había desabrochado la solapa por la que salían su miembro y sus testículos; y yo estaba encantada de mirar la enorme cabeza, hongo abierto en el eje, y de saborear su dulce consistencia casi de fruta madura, de frescura de seda sobre piel tersa, de poder excitante por la forma en que llenaba mi boca.

Al cabo de unos instantes me ordenó que me desnudara; feliz de obedecer a un macho tan autoritario, me desnudé frenéticamente en un instante bajo su mirada distraída; él se había sentado, yo me puse en cuclillas entre sus piernas y continué mi tratamiento de su maravillosa polla que ahora viajaba entre mis manos que la acariciaban toda, desde los testículos grandes como ciruelas a lo largo del eje nudoso y nervioso, lleno de venas que dibujaban extraños garabatos; mi lengua acariciándola, lamiéndola, aspirándola toda para hacerla más suave, desde la capilla más dulce, a lo largo del fuerte palo hasta los testículos; mi boca abriéndose más allá de todos los límites humanos para ser penetrada por la verga que lamía contra mi úvula, allí en el fondo, causándome cierta incomodidad que controlé inmediatamente con mi experiencia; Estaba encantada de dejarme dominar, poseer, violar por aquel palo que rugía en mi boca; pero también por él, que me sujetaba la cabeza y me guiaba según el placer que le proporcionaban mi lengua y mi boca.

Había un silencio casi irreal, sólo roto por el zumbido de los ordenadores y, de vez en cuando, por el ruido de succión que provocaba involuntariamente al absorber su polla en mi boca y arrancarle gemidos de placer al chupar su cabeza; no podía interpretar su comportamiento, no podía entender qué ideas tenía en la cabeza; Permaneció tranquilo y quieto, mirándome, mientras jugueteaba con su teléfono móvil y no sé si estaba haciendo fotos o enviando mensajes a alguien, o incluso trabajando mientras me poseía en su boca; este tipo de desprendimiento me desorientó pero también me intrigó.

Pero me sentí tan bien chupando aquel falo que, como suele ocurrirme, perdí todo el pudor; aunque me dolían las rodillas en el suelo, levanté el trasero para que lo viera, y lo moví con el culo; el gesto, casi involuntario, era la señal implícita de que quería ser poseída en el ano, no quería conformarme con tomarlo en la boca; a decir verdad, fue tan instintivo que ni siquiera sé por qué hice ese movimiento; ni siquiera sé si él se había dado cuenta; Sin embargo, en un momento dado me detuvo, me hizo levantarme y él también se levantó, cogió la silla y le dio la vuelta, "apóyate aquí", me dijo; obedecí dócilmente y me coloqué a noventa grados con el trasero bien expuesto; sabía que me iba a sodomizar y también tenía claro que, al fin y al cabo, ése era el objetivo que había perseguido desde los primeros acercamientos que habíamos tenido; Sabía que iba a sodomizarme y también tenía claro que, al fin y al cabo, ése era el objetivo que perseguía desde los primeros acercamientos que habíamos tenido; el deseo de sentir cómo aquella polla atravesaba mi recto y penetraba en mi vientre era irresistible, aunque las condiciones del entorno, la falta de lubricante y el miedo a ser penetrada "en seco" me provocaban cierta perplejidad.

No me asusté tanto como la primera vez, cuando un terrible y maravilloso garrote desfloró mi trasero con largas, elaboradas y dolorosas maniobras, aceptadas por mí con el entusiasmo de quien quiere sentirse sumiso a un falo poderoso y prepotente a toda costa; sin poder prever cómo actuaría, le pregunté tímidamente si tenía lubricante, se calló y se dispuso detrás de mí; me asomé por detrás para mirar pero sólo pude adivinar su silueta en la penumbra; Sentí la humedad de la saliva goteando por mi ano, el dedo extendiéndolo y el calor del pene forzándolo a entrar; como siempre, el momento en que entra da una sensación inefable, sentí que me abría e invadía, pero el calor del glande y la suavidad de la piel en contacto con la mucosa daban una emoción dulce y lasciva; duró un instante, porque del esfínter violado surgió un dolor punzante.

Me puse rígida, dejando escapar un grito ahogado; por un momento, me vino a la mente el episodio de la desfloración y sentí un poco de ansiedad porque temía que pudiéramos repetir el agotador calvario que había caracterizado mi primera vez; intenté liberarme, pero no pude; "¡quédate quieto! Sentí que entraba en mi canal rectal milímetro a milímetro, lenta pero decididamente; y me invadió una mezcla muy extraña de dolor, miedo, entusiasmo y placer generalizado que recorrió todo mi cuerpo; apreté los dientes, mientras sentía que forzaba con rabia mi esfínter dilatándolo más allá de cualquier límite natural posible; Temía que desgarrara los tejidos internos de mi intestino y me hiciera heridas dolorosas y sangrientas; pero el placer que se extendía por mi cuerpo era incomparable e impagable; sabía que, para obtenerlo, debía aceptar algún pequeño sufrimiento; en un momento me obligué a soltarme, a empujar mi ano hacia él y así, en dos o tres golpes, se abrió paso y llegó al fondo.

'No me ha dolido tanto' pensé; y empecé a sentir un placer cada vez más intenso bajo sus caricias; la sacaba casi hasta el final y luego la metía hasta el fondo; cuando había llegado al posible final de la penetración, volvía a empujar como si quisiera hundir cada milímetro de su vara; sentía el calor de su pubis en mis nalgas y empezaba a entrar en éxtasis.

No duró mucho; me dio varias palmadas en el culo, luego se inclinó más sobre mí, apoyando las manos en mis hombros; le oí jadear, gemir y, finalmente, gritar; estaba eyaculando en su interior y esos gritos de placer me producían un placer especial; Se quedó un rato dentro y luego lo sacó y volví a la realidad; preguntó dónde estaba el baño y fue a limpiarse; me volví a poner la ropa; apareció, cogió su abrigo y salió; ni siquiera tuve tiempo de preguntarle si le gustaba cuando dijo "adiós, hasta luego" y se fue.

No volvió a ponerse en contacto conmigo y respondió fríamente a mis mensajes.

No lo he vuelto a ver.

5. Sumisión a los dos osos

Era uno de esos días en los que tu excitación es tan alta y no sabes cómo detener ese impulso sexual imparable. Tal vez fuera porque mi mujer había vuelto a su ciudad natal a visitar a sus padres y se iba a quedar allí el fin de semana, o tal vez fuera porque hacía demasiado tiempo que no veía una polla y me había pasado toda la tarde viendo películas gay en el PC, pero tenía un deseo imparable de polla. Estaba sentado en el PC con el plug anal en el culo y llevando el tanga usado de mi mujer de la lavandería cerca de la lavadora. Moví mi culo en la silla para sentir el plug, mi culo temblaba de deseo, empecé a escribir a todos los que estaban en línea, pero como siempre todos eran para intercambiar fotos y no encuentros reales. El tapón no hace más que aumentar el deseo de una polla de verdad, me muevo cada vez más en la silla simulando una cabalgada, entonces de repente se pone en contacto conmigo un tal Luca 43, simpático peludo y lleno, un bonito oso muy excitante, justo el momento de intercambiar dos fotos calientes y me dice que está solo en casa y hospitalario y que si quiero podemos continuar la discusión allí.

"Ven a tomar un café y hablaremos de ello".

Me da la dirección, es un pueblo cercano, debería estar allí en 40 minutos, así que corro al baño quito el tapón, hago un lavado interno, tiro el tanga a la lavadora, me visto y me voy.

Cuando llegué a la casa que me había descrito, aparqué, salí del coche y me di cuenta de que había cinco tipos riéndose a carcajadas, y pensé: "¿Quieres ver si son ellos y se están burlando de mí?

Descuelgo el teléfono y envío un mensaje al tal Luca -he llegado-, oigo que se abre una ventana y es él desde la casa de enfrente a la que están los chicos y me hace señas para que entre.

Llego a la puerta principal, voy a tocar el timbre pero la puerta se abre, él está detrás con un albornoz puesto. Una vez dentro me da la mano y se presenta.

Él: "Soy Luca".

Yo: "Hola Francesco".

Ya habíamos discutido un poco en el chat, me había señalado que sólo le gusta ser activo y que es dominante pero no violento, sólo era la forma en que le gustaba tener sexo, me quería obediente y sumisa. Quería tratarme como a una mujer aunque no fuera una traviesa y me preguntó si me importaba oír palabrotas. Le contesté que podíamos hacer lo que quisiera, pero lejos de los látigos y demás. Claro en sus intenciones, con mucha amabilidad y hospitalidad, primero me ofreció un café rápido y luego me dijo

"Cuando te sientas con fuerzas, podemos ir a la habitación".

Yo: "¡Incluso ahora!"

Se levanta y me acompaña a mi habitación y nada más entrar se cambia, me coge por el hombro y me hace arrodillar, se sienta en la cama y separando los muslos se toca la polla, de tamaño muy normal pero bien hecha, desde su albornoz y acompañando mi cabeza hacia ella me dice:

"Chúpate esa puta"

Sin darme tiempo siquiera a mirarle, abro la boca y me la meto toda y empiezo a hacerle una gran mamada, lamiendo y chupando mientras le masajeo los huevos con una mano, de hecho no tardo en sentir cómo crecen en mi boca.

"Qué buena zorrita, mira qué hambre tiene de polla, toda, toda en su garganta".

Y con su mano no me da tregua, empuja mi cabeza contra su polla haciendo que entre toda en mi garganta, en esta posición saco mi lengua y le lamo los huevos.

"Mhmmmm pero mira que eres una zorra y me da dos bofetadas en el culo.

Se levanta y me dice "desvístete" mientras se quita la bata, sigo las órdenes y le sigo hasta la cama para volver a meterme su polla en la boca.

"Date la vuelta, zorra, quiero lamerte el culo".

Me coloco a 69 sobre su vientre peludo, el mero contacto con su pelaje hace que mi polla se erice, pero a él no le interesa.

"Mira en lo que te has convertido, te gusta ser una zorra ¿eh?" Empezando a lamerme el culo, con sus manos me separa las nalgas casi como si quisiera desgarrarlas, su lengua entra y lame dentro, me estoy volviendo loca y hundo aún más su polla en mi boca, en ese momento me doy cuenta de que una polla no es suficiente quiero otra en mi culo.

Me da una bofetada en el culo y me dice que me chupe el dedo gordo del pie, no me gusta sigo gimiendo chupándole la polla, otra fuerte bofetada me hace gritar de dolor.

"Obedece perra".

Me deslizo más abajo dejando que mi polla se deslice sobre su pecho peludo y la suya sobre mis pezones, agarro un tobillo y me meto su dedo gordo en la boca, lo chupo como si fuera una polla de verdad, le lamo las plantas de los pies y me meto todos los dedos en la boca, no me gusta pero sigo órdenes, eso es lo que hace una puta esclava. Mientras tanto, juguetea con mi. Culo intentando meter todos sus dedos, los ha metido todos hasta la mitad y empieza a separarlos dentro para hacerse más sitio, pero no puede ir más allá, siento que me destrozan el culo y lo desgarran. Otra mega bofetada en mi culo, ahora rojo y con sus grandes manos retraídas.

"Ponte boca abajo, perra podrida, y te follaré".

Feliz de dejar sus pies, obedezco y me doy la vuelta, me monta y agarrando mis tobillos me abre las piernas de par en par apuntando su polla a mi agujerito, me mira fijamente a los ojos

"Voy a joderte, perra".

Y me hunde toda su polla en el culo con una violencia sin precedentes, mi grito de dolor resuena en toda la casa, incluso los chicos de fuera deben haberme oído. Empieza a follarme como un toro cachondo, entonces me suelta los tobillos y se lanza sobre mí con su enorme peso, lo siento por todo mi cuerpo, me vuelve loca sentirlo sobre mí, sus manos me agarran las nalgas y me folla con fuerza, envuelvo mis piernas alrededor de sus caderas y con mis manos y uñas agarro su enorme espalda, con cada golpe hundo mis uñas más y más, le beso nuestras lenguas se entrelazan, gruñe como un cerdo. Se detiene y saca

Yo: 'por favor, no pares'.

Él: "Cállate perra, me voy a correr".

Vuelve a tumbarse, me pongo a su lado y nos besamos, me lame toda la cara mientras me mete dos dedos en el culo, no le toco la polla, no quiero que se corra así, pasan 5 minutos y nos lamemos en el verdadero sentido de la palabra, mis manos acarician su vientre peludo, luego lo monto y me cmpalo en su polla, mhmmmm ahora mando yo el ritmo y empiezo a subir y bajar, su polla entra y sale de mi culo, mis manos se apoyan en sus pectorales, dejo de subir y bajar y empiezo a ir hacia delante y hacia atrás, todo con mi pelvis, sus manos acompañan mis movimientos, me vuelvo loca de placer jadeando como una zorra

"Esa es mi perra, mira que eres una zorra, ni siquiera a las mujeres les gusta tanto la polla, y creo que ni siquiera una es suficiente para ti".

Yo:" sí, no quiero más, quiero mucho, quiero hacer que se corra mucha gente".

Dicho esto, me tira al suelo, me tumbo de espaldas con las manos en el poste de la cama y el culo inclinado para ofrecérselo a su polla.

"Vamos, cerdo, patéame el culo".

Se pone encima de mí, pero después de unas cuantas embestidas la saca de mi culo, "me corro, me corro, me corro" y lanza un chorro sobre mi culo, el primer chorro cae sobre mis hombros, el resto fluye sobre mi agujero su cabeza está justo ahí y cuando el semen se acumula entre el agujero y su cabeza, se vuelve a hundir para dar más golpes, entonces se retira y me da una palmada en el culo y dice

"Has estado fantástica, lo he disfrutado mucho y eres una gran zorra".

Voy al baño y cojo un bidé, él se une a mí y me mete la polla en la boca.

"Tienes que limpiarlo, pozo negro".

Lo lamo hasta dejarlo limpio, vuelvo a mi habitación, me visto, recojo mis cosas y antes de salir le doy mi número diciendo

"Nunca se lo doy a nadie pero tú te lo mereces, eres un toro, mi culo te lo agradece".

De vuelta a casa me conecté a mi ordenador antes de ducharme, aún quería oler su sexo en mí y encontré varios mensajes suyos, -¿has cogido mi móvil por error? No pude encontrarlo -

Compruebo mis bolsillos y, sí, ¿ahora qué? Desde luego, no tengo ganas de volver allí a estas horas.

-Debo haberlo cogido por accidente. ¿Qué tal si vienes a buscarlo? No me apetece.

Me dijo: 'No te preocupes, puedes traerlo mañana y compensarlo'.

Yo -bien, pero hay mensajes que vienen-

Él -[***] es la contraseña que lee mis mensajes-.

Tenían nombres diferentes, y los textos eran los mismos "¿cuándo te veré? Cuando vuelvas a follar conmigo"

El tipo estaba caliente. Al meterme en la cama y tener el código, ojeo las fotos buscando alguna imagen de su polla para guardarla para mí, y veo que entre los vídeos hay varios en los que se lo folla una súper gimnasta, también muy peluda, pero lo que me deja sin palabras es la polla del tipo, debe ser tres veces la suya, parece una botella de cerveza. Lo quiero, tengo que tenerlo, o mejor dicho, tengo que tenerlos juntos, y le envío un mensaje a Luigi, -si quieres que te devuelva el teléfono mañana por la noche, quiero que también esté tu amigo, que te va a dar una paliza en los vídeos-.

-¿Ves lo puta que eres? Has ido a mirar, ¿no? Estaré encantado de follar contigo a lo grande mañana.

La noche siguiente me preparé con mucho cuidado, pasé la cuchilla de afeitar para dejar mi culo más liso y sin pelos, lo lavé bien por dentro.

Esta noche tendré dos pollas para mí solo, no me lo puedo creer, pensé que mientras me vestía me pondría uno de los tangas de mi mujer bajo el mono, creyendo que estaba haciendo algo bonito. Llegué a casa de Luigi, me abrió la puerta y me cogió por la cabeza y me metió literalmente la lengua en la boca.

"Hola perra".

Me quitó el teléfono de las manos y me hizo sentar en la cocina, donde estaba su gigantesco amigo.

Yo: "Hola, encantado de conocerte Francesco".

Él: "Encantado de conocerte, Nicola".

Luigi: "Qué coño haces, vete a tu habitación, que ya voy".

Una vez en la habitación me quito el chándal y mientras estaba a 90 grados para sacarlo de mis tobillos, Nicola, ya en ropa interior, me apunta con su polla al tanga.

"Mhmmm qué culo".

Me levanté, apoyando mi espalda en su pecho musculoso, llevándome la mano a la espalda y le saqué la polla del pantalón y empecé a masajearla, era increíblemente enorme con una gran cabeza en forma de seta, no podía esperar a tomarla toda en mi culo.

Al menos le había gustado el tanga y esperaba que a Luigi también le gustara, pero al llegar a la habitación dijo

"¿Qué haces levantada?"

Me agarra por el tanga y me lo arranca, tirando hacia él, bajándome el pijama y haciéndome arrodillar.

"tómatelo en la boca, puta de mierda".

Su amigo excitado se acerca a mí y me mete su polla en la boca también, no me lo podía creer, tenía una polla en cada mano y las estaba chupando alternativamente, mientras se la chupaba a Nicola Luigi me golpeó la cabeza en la cara y se volvió hacia su amigo

"¿Vas a ver qué trión es? Ahora verás que ésta nunca tiene suficiente polla, nos la deberíamos haber follado de diez, pero la próxima vez invitaré a más gente. Es una letrina, un orinal, mira, mira cómo se excita oyendo estas cosas, su polla nunca es suficiente".

Se tumbó con esa gran barriga hacia arriba y dijo ven aquí, túmbate y hazme una mamada, yo obedecí inmediatamente. Lo tomé en mi boca y lo bombeé de arriba abajo, y de vez en cuando me agarraba por el pelo y me chupaba la boca mientras Nicola alternaba entre golpear esa vara en mi culo y lamer mi agujero, abriendo mi culo con todas sus fuerzas. Me estaba volviendo loca, no me lo podía creer, follada por dos toros. Le pedí a Nicola que cogiera mi teléfono y lo documentara todo, me estaba haciendo fotos con su porra en la raja del culo, grabando mientras se la chupaba a Luigi.

"Ponte encima y cabalga sobre mi polla, zorra, voy a dar paso a la porra de Nicola".

Mientras me bombeaba en la polla de Luigi, Nicola se puso delante de mí y me metió esa gran polla en la boca. Nunca he disfrutado tanto en mi vida, sonó mi teléfono, era mi mujer, me saqué la polla de Nicola de la boca y sin parar monté a Luigi.

"Hola, hola cariño, ¿qué haces? ¿Cómo va todo por allí?"

Estaban incrédulos, susurrando -esto es un puto maricón, mira a esta zorra- y yo sonreía y le daba a la polla de Nicola un golpe de lengua.

Mi mujer: "Todo está bien, estamos en la playa, mañana vuelvo, ¿puedes venir a recogerme a la estación?"

Yo: "sí, por supuesto, cariño".

Y seguí lamiendo la polla de Nicola como si fuera un helado y dando golpes de pelvis para que la polla de Luigi entrara y saliera de mi culo.

Tras despedirme de Laura, cerré el teléfono y volví a centrarme en sus pollas.

"Eres un puto trío, no te paras ni delante de tu mujer".

Empecé a volar y a aumentar la velocidad para que se excitaran más, se decidieron por un cambio, de nuevo a 90 grados esta vez Nicola me está follando, esa polla al entrar en mi culo tenía que sudar y doler, pero mucho. Luigi le pasó a Nicola una crema anestésica y a los 3 minutos era sólo placer, la polla de Nicola entraba y salía de mi culo como un pistón, lo sentía, estaba disfrutando como nunca, de mi polla empezó a salir líquido transparente pre cum en cantidades absurdas, nunca vistas antes de mi polla. Luigi con una rodilla en la cama y la otra levantada me estaba follando la boca sujetando mi cabeza con ambas manos.

"Ahora vamos a follarte el culo juntos".

Yo: "no, las dos pollas no caben".

Luigi: 'cállate, puta de mierda, haz lo que te digo, y punto'.

Se tumbó de nuevo y me hizo ponerme encima de él, me metió la polla en el culo y empezó a follarme desde abajo, Nicola se puso detrás y empezó a empujar para meter esa seta junto con la de Luigi, empujaba con fuerza podía sentir a los dos, uno todo dentro y el otro apuntando para salirse con la suya, la porra de Nicola estaba demasiado dura, intenté ayudarle pero al relajar un poco los músculos, entró toda de golpe. Me dolía tanto que parecía que me iban a partir el culo en dos, lo intentaron durante un rato pero mis gritos de dolor les hicieron abandonar la idea. Me aparté de Luigi de lo mucho que me dolía y me tiré boca abajo con la cabeza fuera del colchón, colgando y con las piernas recogidas al pecho para mantener el culo abierto, me bloquearon en esa posición, Nicola se hundió en mi garganta casi reventándome con sus golpes y Luigi me bloqueó las manos y las piernas, acurrucado de esa manera empezó a follarme por el culo de nuevo.

Ya había tenido mi dosis de polla, no podía aguantar más, sólo sentía dolor y les rogaba que pararan, pero no había nada que hacer, seguían bombeando una en mi boca y la otra en mi culo, me sentía violada, no podía moverme. Nicola fue el primero en correrse, sacó su polla y sujetándome por la mandíbula con la boca abierta me llenó la cara y la boca de semen caliente y espeso, y mientras seguía chorreando las últimas gotas de semen en mi cara, golpeándome con esa gran polla, Luigi después de unos cuantos golpes se sacó de mi culo y vino a correrse también en mi cara y mi boca. En esa posición tenía que limpiarlos bien.

Me levanté y fui al baño, sentía el culo muy abierto, parecía que tenía un agujero en vez de un agujerito, me enjuagué y volví a vestirme.

Hablaron de lo guarra que era, y de que tenía un don natural para hacer que las pollas se corrieran, me despedí y me fui.

¡¡¡Pienso en ellos de vez en cuando pero he perdido el contacto con ellos y espero volver a verlos algún día!!!

6. Prueba la polla

Frecuento varios sitios, el mundo submarino me parece tremendamente apasionante. Imaginando que detrás de los chats, hay personas que puedo conocer normalmente. Ocultan su sexualidad, buscando una más sofisticada.

Este verano, mientras charlaba en una sala de chat, se me ocurrió charlar con una persona interesante.

Hemos tenido varias charlas, pero como suele ocurrir, el tema principal es el sexual.

El chico al que llamaré Luca, romano como yo, un hombre de unos 30 años, está comprometido con una universitaria. Durante unos días, charlamos, nos reímos de nuestras historias y, por supuesto, hablamos abiertamente de nuestras relaciones con nuestras mujeres. Todo exactamente como suele ocurrir en los chats, a menudo y no siempre, quiero precisar.

Roma es genial, pero un día en el chat, le revelo que debería haber pasado por una zona concreta de la ciudad, y él, sorprendido, me dice que él también debería haber ido allí por la tarde.

Riendo y bromeando, y sobre todo no creyendo mucho, nos reunimos en un lugar específico cercano.

Le advertí que vendría en moto y que, por tanto, podría reconocer el modelo y el casco que le había descrito bien. En mi cabeza no sé exactamente por qué íbamos a encontrarnos, pero este encuentro en la oscuridad me pareció emocionante. Para ver si todo lo que nos habíamos confiado en muy poco tiempo podía ser vergonzoso. Y si contáramos más en persona.

Llego a tiempo, me quito el casco, enciendo un cigarrillo y sin mucha confianza espero.

Un poco más tarde, a mis espaldas, le oigo preguntar... -Oye, perdona... ¿puedes ofrecerme un cigarrillo? Me doy la vuelta, le ofrezco fumar y él...

- Hola... Soy Luca...

- Oh, hola...

- ¿Sorprendido?

- Bueno, esa es una descripción perfecta... rubia, pelo ligeramente largo, 170, delgada, sólo que deberías tener 30 años... pero debes tener 20, 22...

- 21 años y mi novia 19... Sólo mentí sobre mi edad, de lo contrario nadie te tomaría en serio... ¿problemas?

- No... ¿debería?

- En absoluto... gran moto... tu compañero montando en ella... siempre será mojado....

- Gracias... bueno, cuando monta... sí, sí... se moja... supongo que tu novia también se moja mucho....

- En general, sí... sabes que hemos hablado de ello... aunque últimamente tengo ideas extrañas

- ¿Con ella? No me has dicho...

- Vamos, sentémonos en el banco de allí, mientras tanto te cuento, por lo que me has contado quizás puedas ayudarme.

Terminamos nuestros cigarrillos y nos sentamos, mientras se hace de noche, y...

- Eso es lo que digo... Tengo ideas extrañas...

- Sí, dime...

- Verás, por la noche en mi habitación, pienso en escenas particulares y tengo que masturbarme, la saco debajo de la sábana, y la masturbo hasta que me corro...

- Bueno, qué pasa, yo también me masturbo. Incluso cuando está dormida...

- Sí, pero lo que me viene a la mente es... dicks....

- Ahhh...

- Me imagino pollas y con el móvil veo películas así...

- Empiezo a comprender...

- Menos mal que entiendes.... Somos extraños... y quizás....

- ¿Quizás...?

- ¿Puedo verlo? Si no quieres, nos iremos...

- No... pero ¿no prefieres... a alguien de tu edad?

- No, al contrario... y si quieres te enseño Erica....pero quiero ver... una polla viva... quiero decir de cerca. Lo hago en el gimnasio pero no puedo mirarlos fijamente...

Ya había tomado la decisión... de vernos para contar las mismas cosas del chat... y entonces no hice un misterio de ser bsx. No es un mal tipo, y luego si te pide que lo veas... ya me excita.

Me desabrocho la cremallera y la saco, está casi completamente erecta....

- Conoce a mi pájaro....¿Qué dices... vale la pena la fantasía nocturna?

- Joder... si cuenta... el mío tiene una forma parecida pero... no tan grande....

- Sácalo...

- Prefiero no hacerlo... lo siento... aunque me gustaría masturbarme ahora mismo.... Estoy jodidamente duro...

- Lo que sea... Me hubiera gustado verlo...

- Por grados... ya ver una polla y no avergonzarse... aquí está Erica...

- Jodidamente buena... morena... tetas y culo... increíbles... y se deja fotografiar... en todos los sentidos... pero ¿cuántos años tiene?

- 19... Puedo ver que te excita... Puedo tocar...

- Por supuesto... puedes tocar... solo tómalo...

- Mmm bonito y grande... la aplastarías Erica con esta hermosa herramienta.... en tus manos...

- Si quieres... pruébalo en tu boca...

- No, no me apetece... prefiero masturbarme... si quieres...

- Mmm como lo tocas...ya lo estás haciendo...mmm vamos bravo....

- Me excita... No creía que... me gustara...

- Pasa...mmm sí vamos...eres bueno...ella también sierra muy bien...? Mmm como lo sostienes....

- Sí, tú también... la velocidad es buena....

- Sí, sí... está bien, está bien... mmm vamos, me voy a correr.... mmmm aquí está.....ohhhhh salpica...

- Mierdas de cum....

- Gracias a ti.... si quieres...

- No, me voy a casa...

Dos días después, nos encontramos de nuevo en el chat. Nos saludamos y comentamos la conversación de la noche. En casa se había masturbado pensando en lo que había hecho. Con menos vergüenza, me pregunta si podemos volver a vernos. Acepto con gusto, le haría una paja a cualquiera. De él, joven y definitivamente interesante, me alegraría. Nos encontramos en el mismo lugar, en el mismo banco, de nuevo me masturba, manejando bien mis pelotas. Intrigado, también toca el esperma con las manos. Durante dos días consecutivos, la misma historia. Me ofrezco a hacerlo junto con el suyo, pero él prefiere hacerlo solo.

La semana siguiente, prácticamente antes de ir a casa, paso por su casa y nos vamos.

Una noche, después de la cena, me encuentro con él en el lugar habitual. Estoy en el coche, lo recojo y sabiendo ya lo que íbamos a hacer, me meto en un aparcamiento. Mientras me masturba, me bajo los pantalones y los bóxers, sintiéndome por fin más libre. Puedo tocar su bulto.

- Vamos Luca... estamos en el coche... pruébalo... siente a qué sabe una buena polla.... y luego deja que te toque... verás que es mejor que masturbarse en casa....

Está indeciso, por el bulto creo que está muy cachondo, se queda mirando mi polla. Acaricio la cabeza y la empujo lentamente sobre mi polla, no se echa atrás, se la mete en la boca, primero con timidez y luego cada vez más convencido, para hacerme una mamada.

- ¿Soy bueno para chupársela?

- Mejor que una mujer... piensa en chuparla con tu novia...

- Mmmm tenías razón sobre el sabor... ¿también la dejarías chupártela?

- Mmm claro.... ya sabes que me voy a correr.... entonces lame mis bolas.... eso es todo....

Le desabrocho los pantalones, y él no bloquea mi mano. Finalmente lo saco, no es grande, pero es agradablemente grande, lo gratifico serruchándolo mientras me la chupa....

- Vamos Luca...no me has dejado tocar.... tu polla...siente lo mojada que está....¿te gusta pajearte...?

- Mmmm para morirse...lo siento pero me voy a correr pronto.... no quiero ensuciar...

- No te preocupes... cum... más bien... ¿te gusta la leche...?

- ¿Leche...?

- Sí la caliente que estoy a punto de darte.... si no te gusta... quita la boca....tienes unas bonitas piernas y puedo ver un bonito culo blanco... tienes muy poco pelo.....mmm Luca estoy a punto de correrme...

- Espera... ahora me bajo... síiii aquí es grande o síiii.

Se corre en mi mano... y en el salpicadero, bonito chapoteo... definitivamente, sigue chupando incluso después de haberse corrido.... no malo... le agarro la cabeza y me corro en su boca. Se queda quieto pero traga, como haría mi compañero....

- Bravo.... te gusta el sabor...

- Bueno, sí... y siempre te corres un montón ....

- Sí, siempre lleno... más bien... mañana estoy justo lo que crees...

- No lo sé. Tengo que salir con mi novia...

- Llévala a lo largo de ....

- ¿Estás loco? Para demostrarle que doy mamadas...

- Tal vez ella también los haga...

- El problema no sería que no lo hiciera... es que se enterara de lo que sabes....

- Bueno, si quieres pasarte por la casa, estoy solo... entonces si lo traes....ed te gustaría...

- Lo pensaré...

Seguro que vendrá, no se va a perder una velada tranquila dentro de una casa, eso sí, me gustaría que fueran dos... Tiene una cara de puta estupenda, se hacen fotos que ni la difunta Moana Pozzi. Tiene fotos en las que se corre por todas partes y tiene una bonita colección de juguetitos. No sé de dónde viene el deseo de polla del chico, pero no es un problema, cuanto más toma más quiere....

Como me imaginaba... por correo electrónico me confirma que vendrá, pero solo... la chica tiene un compromiso. Ella dice que le insinuó y le mostró algunas fotos, pero que tiene un cumpleaños que celebrar, si acaso otro día...

Claro... y si lo dijo... ¿qué dice que viene a casa.... una partida de póker....?

Llega la tarde y él también... sabe muy bien que una cosa es el banco y el coche, y otra ir al interior....

- Hola

- Hola

- Obviamente, como puedes ver...

- Sí, no hay problema...

- No quería venir, pero...

- No te preocupes...

- En realidad no...

Marca el número de su teléfono móvil, habla durante un par de minutos y me entrega el teléfono.

- Hola...

- Hola...

- Disculpa es tu novio....

- No pasa nada...efectivamente...siento no haber venido...pero tengo el cumpleaños de mi hermana, él también tenía que venir...pero no importa, espero que puedas solucionar su problema.... sé que en estos días...le has ayudado...y de hecho le veo sereno....También me ha comentado algunas situaciones que le han desbloqueado... Perdona si aprovecho tu disponibilidad, podría preguntarte algunas cosas, quizás mañana en tu casa si puedes..., no se lo digas, pero ya sabes que sólo una persona de tu edad puede resolverlas....

- No hay problema, tomaré tu número y te enviaré la dirección. La misma hora de hoy está bien....

Le devuelvo el teléfono móvil, y mientras lo guarda en su chaqueta....

- Bueno, todo es bueno....

- Pero no entiendo, ¿va a venir aquí...?

- No, no... hablaremos de ello más tarde... es mejor en casa en lugar de ....

- Es mejor que digas...

- Sí... mejor para todo....por ejemplo, no hace falta ropa....

- No es necesario....

- No... aquí me quito la camisa....pero me desabrocho el pantalón....y veo que mi polla ya está dura... aquí hay una bonita libre... déjame tocar....hermosa cabeza... firmes cojones... tienes unos bonitos y cálidos cojones....duros... Mira... o más bien siente qué bonito... frotar pollas...

- Mmm siiii tú también estás caliente...y dura como siempre.... Me gustan las puntas que frotan....

Me quito los pantalones y los bóxers, ahora estamos desnudos con las pollas duras... Me arrodillo frente a él. Lo lamo, me meto sus pelotas en la boca, lo masturbo y lo chupo... demostrando versatilidad... recibiendo el servicio completo...

- Qué dices, te gusta la boca....

- Mmm sí, apestas tan bien....

- Tienes unas bolas muy sabrosas. Vamos a la cama...

- Pero no...

- Pero sí... estamos más cómodos...

Entramos en el dormitorio...

- Esas son las bragas de mi pareja... quítatelas...

- Sí, por supuesto...

- Huélelas... huele lo bien que huelen...

- Mmm si....

- No te preocupes, tienes tiempo para volver, ¿te pondrás...?

- No...

- Es una broma... por cierto, súbete a la cama... no tengo que tumbarte como a una mujer... chúpame la polla, vamos... que está buena hasta la garganta.... mmm sí... chúpala...

- Me asfixio...

- Pero si llega bien a la boca.... ven y date la vuelta....un 69 entre machos....mmm siiii...ven a lamerme el culo...bravo...

Le dejo a cuatro patas y le chupo la polla. Me pongo un condón... y lamiendo su culo, me inclino...

- No, vamos... en el culo... no...

- Sí, entra en el culo sí....escucha eso... lentamente... mmm... vamos se va ensanchando lentamente....

- Quítatelo...mmm duele...mmmm

- Vamos, quítalo... su culo se está abriendo... bonito y suave... blanco... mmm vamos, está entrando...

- Mmm, me duele...

- Da dolor y luego.... desfloremos su culo....

- Mmmm eso duele.... cuanto falta...quema...

- Vamos, estamos a mitad de camino... Puedo sentir tu polla babeando.... te gusta...

- Mmm sí pero eso duele....

- Mmm vamos, calienta mi polla...escucha a tu novia como la empujas...juntos para empalarla inmediatamente o suavemente como estoy haciendo....

- Mmmm depende... pero tu polla me va a patear el culo...

- Aquí vamos... luego hablaremos de la perra...

Ya casi estoy dentro, empujo con fuerza y lo bombeo... Grita como un desesperado, está a lo perrito... Lo monto con fuerza, tiene un culo estupendo, parece un mariquita, lo agarro por las nalgas y empujo. Ahora ya no grita, se masturba la polla... y disfruta de la polla en su culo. Me gusta ese culo suave. Le agarro la polla y le masturbo... espero hacer que se corra antes de que yo me corra... duele en el culo si no estás excitado. Ahí está... el culo virgen entra en acción... le echo un chorro en el culo llenando el preservativo, vuelve a gritar y cum....

Se derrumba de lado... mi polla está colgando, saco el condón que gotea. Se lo paso por la cara... está agotado, consigue abrir la boca para tragar el contenido...

Voy al baño a mear y a lavarme la polla. Por mí puedes dormir aquí, siempre que cuando venga la chica... no te metas.

Voy a la cocina, me bebo una cerveza y creo que está dormido. Vuelvo al cabo de unos veinte minutos... sigue tumbado de lado, con los muslos ligeramente adelantados, el culo a la vista... Me acerco a él, me froto contra él, noto que me afecta.

Apoyo...

- No, vamos, por favor...., espera un momento...

- Schhhhh... vamos el camino está abierto...

De nuevo en el culo, me doy cuenta, sólo por su polla creciente, de que le gusta... se abre el culo con las mejillas ....

- Deja que me ponga...

- Por supuesto....

Cabalga como una amazona, le toco el pecho como si fuera una mujer... se apoya en mi pecho, le agarro el culo y sigo empujando... muevo mi cara hacia la suya... abre la boca y mete su lengua en mi garganta...

- No es un puto beso...

- Te lo ruego... con voz dolorosa y quejumbrosa...

- Cuando era niño sólo besaba a los chicos... y prefiero besar a las mujeres...

- Pero ahora soy una mujer.... por favor... déjame sentir tu lengua....

- Eres una zorra...

Agarro la cabeza... meto la lengua en su garganta, y continúo follando con él, está inclinado sobre mí, nos besamos, mientras con cada golpe frota su polla en mi vientre.

Siento un calor en mi vientre, se está corriendo....

Lo cojo por el cuello, lo levanto y continúo dándole por el culo... Finalmente me cum....

En esa posición... haré una foto...

Escribo... qué dices... vendrás mejor en esta posición... y mandas...

La respuesta... bueno, no tendrás suficiente memoria en el móvil...

Te esperaré mañana sin él...

7. Peter

Pietro era un joven de 19 años, acababa de terminar el bachillerato de arte presentando como examen algunos de sus dibujos, una tira de cómic y algunas prendas femeninas de gran moda y por ello fue promovido a través del examen de madurez con 58 sesenta, Pietro era un chico guapo de un metro ochenta de altura rubio con el pelo largo, acababa de empezar a modelar pero los comienzos siempre son duros así que gracias a su habilidad para dibujar colaboró con una revista sólo para hombres donde realizaba historias gracias a dibujos animados, gracias a estos dos trabajos pudo irse a vivir solo, encontró un mini piso de 45m2. Encontró un miniapartamento de 45 metros cuadrados en un gran edificio, lo amuebló con lo mínimo y se instaló.

Un día de lluvia volvía a casa todo mojado y se encontró con otro hombre esperando el ascensor, ambos mojados y sintiendo que el frío les afectaba, pero también sintió que el hombre llevaba un perfume muy fuerte.

Más tarde descubrieron que vivían en el mismo piso y eran vecinos, se despidieron el uno del otro y se fueron a sus propias casas.

Pasó algún tiempo antes de que los dos se vieran de nuevo y ambos esperaron el ascensor.

"Buenos días, nos encontramos de nuevo, eres el que vive a mi lado, es joven".

"Sí, ese día de lluvia fue sólo el quinto día que viví aquí".

"Soy Alberto Secchi

"Soy Pietro Ansaldi

"Lo que hace bien"

"Yo soy modelo, pero sí, dibujo cómics".

"¿Bravo en qué revista?"

"Es una revista gay, entonces...."

"¿Entonces?"

"Escribo historias porno para mí".

"¿Supongo que historias de homosexuales?"

"Sí, claro".

"Bueno, ¿por qué no los publicas?"

"Tendré que pensarlo, si me aceptan".

"Inténtalo, si te dicen que no, inténtalo en otro sitio".

"¿Y qué haces tú?"

"Soy escritor, escribo novelas".

"Ohhh bonito"

"No me quejo, por desgracia nunca he escrito un superventas, pero no me quejo".

Llegaron a su piso

"Peter, ¿por qué no me enseñas tus dibujos e historias?"

"Con mucho gusto, y me dejas leer tus novelas".

"Claro".

"Escucha, Pietro, tengo una botella de vino blanco en la nevera, creo que es muy bueno, podemos beber mientras leemos".

"Perfecto entonces, nos vemos a las 21 horas".

"Perfecto"

Exactamente a las 9 de la noche aparece Alberto con una botella de vino espumoso Berlucchi, juntos se sientan en un sofá Pietro muestra sus tiras e historias porno mientras Alberto ha traído su último libro, descorchan la botella, la vierten en dos vasos y brindan por su amistad.

Pedro se concentra inmediatamente en la novela, es muy atrayente mientras Alberto sonríe con suficiencia a las tiras y luego comienza a leer los primeros relatos pero las historias son altamente eróticas y esto le provoca a Alberto una considerable excitación y sin que se dé cuenta acaricia el pelo del chico y en un arrebato de lujuria toma la cara de Pedro entre sus manos y le imprime un cálido beso en la boca, Pietro se asombra de la reacción de su amigo, pero al mismo tiempo se da cuenta de que Alberto también es gay, de lo contrario no habría tenido esa reacción ante la historia, de hecho los dos se besan una y otra vez, Alberto está sentado con la polla fuera, ya dura, Pietro está contento, sonríe a su amigo y luego se levanta y se desliza sobre la polla de Alberto, se miran fijamente a los ojos y a partir de ahí comienza su historia de sexo, Alberto empieza a moverse lenta pero profundamente Pietro abraza a Alberto y mientras el ritmo aumenta sus besos aumentan en intensidad, La lengua de Alberto está ahora dentro de la boca de Pietro, Pietro se siente gay desde hace mucho tiempo y sabe perfectamente que sólo es pasivo y hasta ahora no había encontrado una pareja que fuera sólo activa, ahora Pietro puede entregarse completamente a su amante.

"Ohhh Alberto siiii siiii fóllame fóllame"

"Cariño mío qué bien, vivimos muy cerca y podemos hacer el amor en cuanto podamos, tus historias son muy excitantes".

"Gracias Alberto, tu novela también es muy convincente".

El ritmo aumenta, aumenta y ahora Pietro es como una marioneta que se sacude con cada golpe.

"Siii siii siii Alberto me gusta me gusta siii fóllame fóllame qué ahhhhhh"

"Querida, sí, te follaré y te follaré, te entregarás sólo a mí y yo seré sólo tuyo".

"Sé Alberto seré sólo y únicamente tú pero fóllame fóllame, lo haces demasiado bien, lo siento tuyo Alberto tuyooooo"

Se corrieron juntos, Alberto en el culo de Pietro y Alberto en el vientre de Alberto, al final Pietro seguía en la polla de Alberto y empezaron a besarse y besarse hasta que se quedaron dormidos con Pietro en los brazos de Alberto.

8. Un paréntesis particular en mi vida

Me llamo Carlo, tengo ahora cincuenta años y soy un bisexual convencido. Mi descubrimiento se remonta a muchos años atrás. En aquel momento era un soldado alistado en el Ejército del Aire, en un cuerpo especial que se encargaba de la defensa de los aeropuertos. No sé muy bien cómo llegué allí, pero fue muy duro, con guardias, simulacros, alarmas y marchas a la orden del día, y con el cansancio a la orden del día. Recuerdo una noche de invierno en la que hacía un frío terrible y yo estaba de guardia, con mucho frío y muy cansado.

Estaba encerrado en un agujero rodeado de sacos de arena con dos rendijas, cubierto por una chapa con más sacos de arena encima y una cortina de luz que cubría la entrada. Hacía mucho frío a través de las rendijas y fue entonces cuando cometí el primero de los dos errores: me senté y cerré los ojos durante unos segundos, al menos eso creí, pero me quedé profundamente dormido. De repente, una mano fuerte me sacudió de mi sueño, y en mis ojos me sorprendió ver a nuestro sargento frente a mí con mi rifle en la mano. En un instante se aclaró toda mi vida futura: juicio sumario, al menos dos años de prisión punitiva. Esto ya les había sucedido a otros dos soldados antes que a mí, y nuestro sargento, un hombre alto, fuerte y musculoso, de carácter duro y taciturno, que estaba temporalmente a cargo del pelotón en ausencia de nuestro oficial, que se había lesionado durante un ejercicio, permaneció frente a mí en silencio.

"Por favor, no me arruines". Consiguió decir un hilillo con una voz llena de temor.

Se quedó en silencio un momento, luego respiró profundamente y se acercó a mí. Ahora su cuerpo estaba a poca distancia de mi cara, cuando de repente se abrió los pantalones y sacó un miembro grande y largo.

"¡Elige!" Me dijo con un tono duro y firme, acercando su cuerpo a poca distancia de mi cara.

Sin dudarlo, agarré aquella polla, aún blanda, pero ya de proporciones considerables, hasta el punto de que mi índice y mi pulgar apenas podían unirse, entonces saqué la lengua y di la primera lamida. Me sorprendió el hecho de que oliera a agua y jabón, como si acabara de lavarlo un momento antes. En aquella época ya estaba comprometido con mi futura esposa, y las mujeres de aquellos años apenas se dejaban follar, principalmente por miedo a quedarse embarazadas, así que la mejor manera de mantener a raya al novio era hacer mamadas. Siempre me había preguntado cómo era para él lamer y chupar mi polla con extremo placer, y podía ver el gozo y la satisfacción de tragar mi semilla, ahora de repente tenía la oportunidad de quitarle esta curiosidad. Empecé a chupar, a lamer, aquel espléndido poste que se levantaba en mis manos y en mi boca, intentando repetir las mismas cosas y los mismos gestos que me hacía mi novia. No me importaba la situación ni ninguna otra consecuencia en ese momento, sólo quería dar y recibir placer al sentir ese miembro en mi boca.

"mmmmmmm... ¡Qué boca de terciopelo!"

El largo gemido y el comentario expresado por el sargento me llenaron de gozo y satisfacción hasta tal punto que levanté la otra mano y me desabroché los pantalones, los bajé junto con el pantalón hasta medio muslo, encontré en mi mano dos pelotas tan grandes como huevos de ganso duros, llenos, que acaricié, sopesándolos, y poco a poco fui deslizando mis labios a lo largo del eje, jugando con mi lengua a lo largo del frenillo y chupándolo, hasta llegar a esos dos magníficos cojones hinchados y peludos que me metí en la boca chupándolos de uno en uno. Estaba sorprendido, excitado hasta el punto de sentir cómo crecía mi polla en el pantalón, mientras que a estas alturas mis dedos ya no podían juntarse por lo mucho que había subido el magnífico miembro que estaba serrando lentamente. ¡Me ha encantado! ¡Estaba haciendo una mamada a un hombre! Y me llenaba de placer. Podía oírle gemir, acompañando mis movimientos y obteniendo mucho placer. De repente sentí su mano apoyada en mi cabeza, mientras su hermoso miembro empezaba a hincharse, lo mismo que me pasó a mí cuando estaba a punto de correrme en la boca de mi novia. Apreté mis labios alrededor de la punta moviendo mi lengua muy rápido, chupando, bombeando y aserrándolo cada vez más fuerte. De repente, dejó escapar un largo gemido.

"mmmmmmmmmm...mmmmmmm".

Un momento después, un potente chorro golpeó mi paladar, y sentí un sabor agridulce que me gustó inmediatamente. Nada más probarlo y tragarlo, otro chapuzón más grueso y completo me llenó la boca. Saboreé y tragué ésta también, seguida inmediatamente por una tercera cuarta y una quinta, siempre potente, que me inundó la boca. Fue hermoso, tragué, chupé, lamí y apreté, hasta la última gota de placer con el espléndido miembro que había vertido en mi boca en mi garganta aquel delicioso néctar, luego con un chasquido de mis labios lo dejé brillante y limpio lamiendo mis labios. Levanté la vista y vi su rostro en la tenue luz de la noche, satisfecho y relajado. Me devolvió el rifle y volvió a abotonarse los pantalones.

"¡A partir de ahora, siempre que me apetezca, estarás a mi disposición! ¿Está claro?"

Me dijo con voz tranquila y serena.

Giró sobre sus talones y se marchó. En cuanto me quedé sola, me di cuenta de que estaba muy despierta, ya no sentía frío y seguía muy excitada, consciente de que había vivido una experiencia única y hermosa. Mi dura polla me dolía en el pantalón, la saqué y me masturbé furiosamente hasta que sentí que mi placer explotaba. Recogiendo toda mi semilla en la palma de la mano la llevé hasta el nivel de mi boca. Olí el mismo olor, estiré la lengua y probé el sabor: ¡era idéntico! Me lamí la mano, la limpié hasta la última gota de mi placer y quedé fascinada por la emoción y el sabor que había experimentado. En las dos semanas siguientes vino a verme cuatro veces más y siempre repetíamos el mismo ritual: él de pie, yo chupándosela, él corriéndose, yo tragándosela, luego él marchándose, yo masturbándome lamiendo mi propio semen. Se había convertido en un placer especial, único e increíble para mí, que seguía diciéndome a mí misma que era heterosexual, aunque estuviera observando a ese hombre, cuya presencia durante el día me llenaba de emociones ocultas. Luego, durante unos días, desapareció y, cuando volvió, me citó en su despacho y me dijo

"Ven conmigo".

Subimos a un jeep y nos dirigimos al almacén, donde nos recibió Luca, el furor, un chico de la misma edad que yo, pero con una forma física y apariencia dulce y frágil. En cuanto entramos en su despacho, Luca se arrodilló ante el sargento, que se llamaba Giovanni, y enseguida se abrió los pantalones y empezó a chuparle la polla mientras yo observaba fascinado. Era maravilloso e increíble ver la facilidad con la que su boca se deslizaba hacia aquel espléndido poste, que tras unos cuantos lametones ya estaba en plena erección. Con un gesto de la cabeza, Luca me invitó a unirme a él y así, juntos, empezamos a lamer y chupar aquella maravilla de la naturaleza entre los gemidos y suspiros de Giovanni, que ahora había colocado sus manos en cada una de nuestras cabezas, casi como si quisiera mantenernos quietos para hacer que nuestras bocas deslizaran de un lado a otro su maravillosa joya. Cuando estaba con los labios en la punta, de repente Luca unió su boca a la mía en un beso maravilloso. Tras un momento de asombro, respondí con ardor entrelazando mi lengua con la suya mientras con mi mano seguía serrando la polla cada vez más dura. Luca se levantó, se bajó los pantalones y se apoyó en el escritorio, mientras yo seguía lamiendo el poste, John se puso un poco de saliva en los dedos y lo lubricó por detrás, luego apoyó la punta en el agujero anal de Luca y con las manos le estiró el culo para que se abriera mejor. Poco a poco vi cómo aquellos veinte centímetros de carne de gran circunferencia desaparecían dentro del agujero anal de Luca, que empujaba su cuerpo hacia atrás con la boca abierta.

"¡Choca conmigo, toro magnífico! Conduce más fuerte hasta el final".

Los observé extasiada, aunque por dentro tenía un poco de miedo de que el mismo tratamiento se reservara para mi culo, pero Luca se dio la vuelta y me invitó a sentarme frente a él en el escritorio.

"Vamos, siéntate, quiero chuparte la polla".

Era fantástico, Giovanni machacaba el culo, Luca me chupaba divinamente, y yo estaba cerca del placer, cuando Giovanni me hizo un gesto para que me levantara, y acercando su cara a la mía me besó intensamente mientras seguía bombeando a Luca. Para mí fue demasiado un placer tan inesperado que me llevó al orgasmo corriéndome copiosamente en la boca de Luca, que se lo tragó todo con avidez. Entonces le llegó el turno a Giovanni y con un largo gemido le inundó el culo.

"¡Ya voy! ¡Ahora! ¡Sí, ahora! ... mmmmmmmm..."

La empujó hasta el fondo y vertió toda su semilla dentro. Se retiró lentamente y Luca se arrodilló rápidamente frente a él y lamió, limpió, aquel miembro todavía agradable y turgente. Entonces nos recompusimos.

"Luca tiene que hacer el inventario, tú le echarás una mano a partir de hoy, esto hasta que el trabajo esté hecho será tu nueva misión".

Giovanni me dijo con una sonrisa que se fue.

Empezamos a hacer el inventario, un trabajo que habría llevado tres días como máximo, tardamos veinte. Luca resultó ser un simpático amigo, que había descubierto a los quince años que era gay, y una vez alistado había visto en Giovanni a su toro semental, su magnífico semental al que se había ofrecido inmediatamente para recibir a cambio aquella espléndida polla que le metía en el culo. Durante los veinte días Giovanni vino a visitarnos a menudo y cada vez nuestro trío era más interesante y envolvente y siempre terminaba con copiosos chorros en la boca de Luca y en la mía. Tengo que admitir que esto me llenaba de un placer extremo, era maravilloso chupar y lamer la polla de Giovanni o de Luca indistintamente, ya que estaba bastante bien montada como yo. Debo admitir que casi se había convertido en algo difícil de abandonar, sólo dos días de abstinencia fueron suficientes y enseguida sentí un fuerte deseo por ella.

Después de ese trabajo, recibí una semana de permiso y volví a mi casa, a mi mujer, a mi vida cotidiana. Extrañamente no sentí ninguna carencia, me sentía perfectamente a gusto entre mis amigos y la gente que me conocía. Cuando estaba con mi novia, me sentía perfectamente derecho. Entonces, la primera vez que me chupó la polla de nuevo, comprendí perfectamente qué alegría, qué placer sentía, y cuando me corrí en su boca, la atraje hacia mí y la besé intensamente compartiendo mi semilla todavía en su boca, dejándola muy sorprendida. Cuando me preguntó por qué lo había hecho, estando convencida de que me molestaba, o de que me daba asco, me contestó que no había nada asqueroso, que si ella me lo hacía a mí, yo también podía hacérselo a ella. Me miró y sonrió, y dijo que yo era un magnífico cerdo y que eso la llenaba de alegría, aunque yo sabía en mi interior que no era del todo cierto, pero que quería compartir con ella el sabor y el placer del semen en mi boca. Al final de mi permiso, cuando volví me encontré con una amarga sorpresa, nos habían asignado un nuevo oficial que mandaba el pelotón. Era un joven teniente, todo orden y reglamento, recién salido de la Academia y convencido de que se podía mandar un pelotón incluso sin experiencia pero con la fuerte ayuda del reglamento.

Estaba tan lleno de sí mismo, que enseguida se había hecho antipático incluso para Giovanni, que a pesar de tener mucha experiencia apenas era tenido en cuenta por el oficial, es más, parecía como si el teniente tuviera miedo de que el sargento tuviera más experiencia que él, lo que al final era cierto, de cómo mandar un equipo. Pasamos dos meses muy duros con este tocapelotas siempre cerca y hasta nuestros tríos se habían vuelto muy raros por la figura siempre presente del teniente. Una noche, acababa de salir de la guardia y, antes de irme a dormir, quise orinar, así que me dirigí al baño. Mientras me lavaba las manos después de haber hecho mis necesidades, me llamó la atención la luz que salía por la ventana de la habitación de nuestro destacado oficial, lo cual era inusual teniendo en cuenta que eran las dos de la mañana y se suponía que a esa hora estaba durmiendo. Intrigado, salí por la puerta trasera y, escondido detrás de una mata de adelfas, observé a través de la ventana lo que hacía el oficial. Nuestro querido teniente estaba preparando una espléndida caña, o más bien, para ser más precisos, un verdadero cañón, que luego salió a fumar, evitando que el olor se estancara fuera de su alojamiento. Al día siguiente se lo conté a Giovanni, y cuando se enteró se le iluminó la cara como si le hubiera dicho que le habían ascendido a general.

"¡Ahora lo tenemos!"

En ese momento no entendí de qué me hablaba, pero dos noches después volvimos juntos a la ventana y él tenía una pequeña cámara con la que filmaba cada momento de la preparación del gran porro y su fumada por nuestro teniente. Luego nos fuimos a dormir. Tres días después dijo que le acompañara y juntos fuimos a ver al teniente y Giovanni le rogó que le siguiera hasta el almacén donde había algo que nuestro oficial debía saber. Una vez en el almacén, Luca cerró silenciosamente la puerta tras nosotros y cuando entramos en el despacho, Giovanni ordenó al teniente que se sentara, y éste se volvió hacia él con una actitud muy irritada.

"¡Cómo te atreves a darme órdenes a mí como tu superior, te estás arriesgando a que te degraden!"

Giovanni le miró tranquilamente y luego a nosotros, puso su brazo izquierdo sobre el hombro del teniente y le obligó a sentarse, ya que era más fuerte, mientras el oficial le miraba atónito.

"Cierra la boca y vuelve a abrirla para que entre esto".

Dijo en tono tranquilo y sosegado mientras con la mano se abría los pantalones y sacaba su espléndida polla. Los ojos del oficial se abrieron de par en par. Estaba rojo de ira y cuando estaba a punto de tronar contra él, John sacó del bolsillo de su uniforme un montón de fotos en las que podía ver claramente las cosas que el teniente había hecho durante la noche.

"¡Elige! Pero ten mucho cuidado. Como sabes, nuestro comandante perdió a un hijo de quince años por culpa de las drogas y le molesta incluso vernos fumando un simple cigarrillo, así que ¿qué crees que te haría si supiera que estás fumando estos porros?"

Stefano, así se llamaba el teniente, estaba con la boca abierta y era incapaz de pronunciar una palabra, y la polla de Giovanni, a dos centímetros de sus labios, era la alternativa a tanto problema, así que lo agarró con la mano derecha y se la metió en la boca, chupándola tímidamente al principio y luego cada vez más convencida, hasta que después de un largo bombeo Giovanni le echó todo su semen en la garganta y le obligó a tragarlo. A partir de ese momento nuestras vidas cambiaron radicalmente, para los cuatro el placer fue intenso. Una semana después, Giovanni le rompió el culo a Stefano mientras yo me follaba a Luca. Al principio Stefano se resistió un poco, pero después de dos o tres veces se dejó encular tranquilamente mientras chupaba la mía o la de uno de nosotros tres. A partir de ese día no hubo más problemas, siempre tuvimos asignaciones tranquilas, y licencias premium a voluntad.

Luego, como todo lo bueno se acaba, Giovanni y Stefano organizaron una pequeña fiesta para Luca y para mí, a la que también asistieron el capitán médico que se había unido a nosotros mientras tanto y dos jóvenes reclutas que habían hecho la misma elección que yo y que, por tanto, ocuparían el lugar de Luca. Pasamos una noche maravillosa, llena de placer, orgasmos, mamadas y culos en abundancia. Entonces Giovanni y yo nos metimos en la bañera, él tumbado detrás de mí, estirado entre sus muslos con mis hombros apoyados en su pecho. Podía sentir su pene presionando contra mi espalda, mientras me acariciaba el pecho con su boca apoyada en mi nuca.

"Me ha gustado mucho conocerte, de todos los que me han chupado tú has sido sin duda el más agradable, tu boca es como el puro terciopelo, suave cálida y acogedora, al mismo tiempo tus labios, y tu lengua saben moverse maravillosamente llevando a una persona a la cima del placer. Estoy muy agradecida y feliz de haberte conocido".

Me dijo con una voz velada por una ligera melancolía que por un momento pensé que se debía sólo a nuestra separación.

Me giré y le besé. Un beso intenso, lleno de pasión y deseo. Mis manos bajaron y agarraron su miembro que poco a poco volvía a ponerse duro. Por un momento en mi mente hubo un fuerte deseo de probar lo único que nunca había hecho antes, sentirlo dentro de mí por detrás. Después de besarme con él durante un buen rato, me di la vuelta y puse las manos en el otro lado de la bañera, manteniéndome quieta con el culo frente a su cara. Permaneció inmóvil un momento y luego se dio cuenta de lo que quería de él y, con la ayuda de la espuma de baño, lubricó expertamente mi flor anal. Introdujo lenta y tranquilamente primero un dedo, luego dos, hasta que sintió que ya no me resistía y que me dilataba lentamente. Me explicó que tenía que empujar, de la misma manera que cuando se hace de vientre, ya que esto le ayudaría a entrar en mí. Entonces colocó su cabeza en mi culo y lenta, muy lentamente, me penetró. Sentí cómo se deslizaba hacia dentro y me abría con calma y sin prisas, con suaves y continuos empujones, hasta que sentí sus grandes pelotas golpeando contra las mías y sólo entonces me di cuenta de que lo tenía metido en el culo. Permaneció quieto unos instantes, dándome tiempo a acostumbrarme, y luego empezó a pistonear cada vez más rápido, proporcionándome momentos de intenso placer, y aunque mi polla aún estaba flácida, de repente tuve un orgasmo.

"¡Disfruto! ¡Me estoy corriendo! Me estoy corriendo, es precioso. Vamos, tú también".

Me agarró por las caderas y, manteniéndome firmemente inmóvil, me bombeó el culo con golpes más fuertes y profundos hasta que, de repente, estaba todo dentro de mí y yo permanecía inmóvil.

"¡Esto es genial! ¡Esto es genial! Me corro. Ahora".

Sentí que un chorro caliente me llenaba el recto, proporcionándome un placer intenso y único que nunca había experimentado. Luego se deslizó lentamente, volvimos a tumbarnos como antes, me abrazó con fuerza y me giró hacia su cara besándome en la boca y abrazándome.

"¡Gracias! Muchas gracias, siempre había querido tenerte pero quería que fuera tu elección. Ya había tenido tu boca de ti y había sido mi elección, ésta quería que fuera tu decisión. Nunca te lo habría pedido si no hubieras decidido hacerlo. Gracias, nunca lo olvidaré".

Después de ese momento, volví a mi vida habitual y fui absorbido por la vorágine de las cosas. El trabajo, el matrimonio, los hijos y muchas otras cosas, pero desde entonces nunca he hecho nada con la boca ni con nada. En los últimos años, después de que el aburrimiento y la rutina hicieran monótona mi vida de casada, también debido al crecimiento de mis hijos que, ya crecidos, se habían ido de casa, aumentando aún más el deseo de nuevas experiencias, descubrí Internet y la posibilidad de buscar nuevas aventuras a través de sitios que te permiten satisfacer tus deseos de la forma más sencilla posible. He creado una al lado y he publicado algunas fotos en las que he escrito que me gustaría volver a llevarme un pájaro carpintero a la boca. Las ofertas eran generosas e inmediatamente me encontré con tantos miembros guapos para chupar que en los dos primeros meses tuve un verdadero acaparamiento de ellos, luego me di cuenta de que no toda la gente era correcta y limpia, así que me volví muy selectivo y ahora disfruto chupando cuatro o cinco al mes. El último, un hombre guapo y bien dotado de unos cincuenta años, después de haber probado ampliamente el placer de mis labios, me dijo que tenía una boca de terciopelo. Le miré sonriendo,

"Gracias, pero eso ya me lo han dicho hace tiempo".

9. Un cambio total

Miro las fotos que se desplazan por la pantalla de mi tableta, hermosas, perfectas, tomadas con atención al detalle. Recuerdo cada una de las poses, la preparación, los detalles, todo. Una foto en particular me llama la atención, es perfecta, hermosa, yo la quería así, y el resultado supera con creces mis expectativas. Me muestra de espaldas a mí, con las rodillas ligeramente flexionadas, una mirada de reojo guiñando un ojo, unos labios sensuales imitando un beso, pero toda la atención se centra en mi lado B. Redonda, perfecta, provocativa, apenas envuelta en una miniatura negra elástica, de apenas veinte o veinticinco centímetros de altura, lo que me obliga a recordar cómo empezó todo.

Mi mente se remonta a unos cuantos años atrás. En aquella época acababa de terminar la escuela secundaria, y mi cuerpo ya revelaba lo que llevaba tiempo sintiendo en mi interior, el fuerte deseo de parecer una mujer. Mi apariencia menuda no dejaba lugar a dudas. Tenía el pelo rubio, las piernas y los brazos delgados, un rostro enmarcado en un óvalo perfecto que me daba un aire efímero, un cuerpo que parecía todo menos masculino, viril y poderoso. Por el contrario, era delgada, menuda y con un aire de fragilidad impresionante. Toda mi atención hacia el sexo femenino se centraba únicamente en escuchar sus discursos. Las chicas hablaron de moda, lápiz de labios, maquillaje, zapatos y de cómo volver locos a los hombres. Eran lo mejor que podía escuchar. Por aquel entonces todavía vivía con mis padres y mi hermana mayor en un pueblo encajonado entre una gran montaña y la transitada carretera estatal. Admiraba a mi hermana cuando se maquillaba y se arreglaba, y al principio no entendía por qué era físicamente como yo. Luego, poco a poco, le habían brotado unas protuberancias en el pecho que acabaron dándole una magnífica cuarta talla, una talla que todavía hoy envidio, y un culo maravilloso.

Cuando se puso la famosa "mini", su novio de entonces le dijo que era tan guapa que estrenarla era un deber con la naturaleza que le había hecho así.

Ya su novio, ahora mi cuñado. Luca es lo que se llama un verdadero macho varonil. ¡Poderosos músculos en cada rincón de su cuerpo, macizo, alto y terriblemente peludo! Y por si fuera poco, terriblemente sucio. Sucio, pero sucio, fantástico. Una noche, cuando se estaba follando a mi hermana, yo había oído los ruidos, los había espiado. Tuve la oportunidad de admirar su magnífica polla. Grande, duro, nudoso, con una cabeza del tamaño de una fresa en la parte superior. Me había masturbado hasta la extenuación sólo con pensar en tenerlo dentro. Unos dos años después, entre los dieciséis y los diecisiete años, mi vida dio su primer giro.

Recuerdo que era un sábado por la noche, había una fiesta en el pueblo y todo el mundo había ido, pero yo no. Había puesto excusas. De hecho, estaba cansado de las bromas de los chicos del pueblo y de las risitas irónicas de las chicas, y tenía otra cosa en mente. En cuanto me quedé sola, me apresuré a ir a la habitación de mi hermana, que en aquel momento ya estaba casada con el cerdo, y además estaba embarazada de unos meses. Abrí el armario y le cogí esta mini que adoraba, y un par de "zatteroni", unos zapatos de tacón de cuña muy altos que siempre llevaba cuando se ponía la mini. Elevaron aún más su trasero, haciéndolo aún más deseable. Me dirijo a mi habitación, desnuda, con las cosas tomadas.

Me admiré en el espejo, moviéndome como una puta que late. Me ha gustado todo lo que he visto y me ha parecido precioso. Desde hace algún tiempo, había estado experimentando con la introducción de diversos objetos de tamaño relativo en mi culo para experimentar la sensación de estar poseído. Ahora me admiraba fingiendo ser una puta del pavimento en busca de su cliente. De repente, Luca entró en la habitación y me agarró con fuerza de la muñeca.

"Sabía que eras una putita. Un maricón para ser disfrutado, una putita para ser follada con gusto, arrodíllate quiero oírte chuparla".

Sin decir nada más, me retorció la muñeca y me obligó a bajar delante de él, que mientras tanto se había abierto los pantalones y había sacado su magnífica polla. Sin dudarlo, me lo mete en la boca. Me sujeta la cabeza con las dos manos y me folla la boca de forma dura y brutal.

"¡Eres una maravilla! Me recuerdas a un joven viajero que solía golpear a lo largo de la carretera estatal hace unos años. También la lamía bien, todo el mundo la llamaba Luana, tú te pareces a ella, así que a partir de hoy te llamaré así, Luana, ¡mi putita toda para disfrutar!"

Habla mientras sigue follándome metiéndomela cada vez más en la garganta sin importarle si me gusta o no. Casi siento que me ahogo con ese palo en la garganta, pero toda esta brutalidad me excita como un loco, descubro que me gusta que abusen de mí. Luego me levanta y me hace girar apoyada en la cama, doblada a noventa. Escupe un poco de saliva en mi agujerito y lubrica también su polla, luego me penetra con dureza plantándola toda dentro de una sola vez. Grito, siento que me aplastan, que me abren, que me parten en dos, que me abandonan las piernas.

"aaaaahhhiiiiii... AAAHHHHiiiii ... ¡Con cuidado! ... Por favor..."

Me inmoviliza sujetando mis caderas. Espera un momento inmóvil dentro de mí, y luego empieza a limar mi agujerito sin hacer caso de mis súplicas. Me golpea con un ritmo constante que pronto da sus frutos. Siento que el placer fluye por todo mi cuerpo.

"¡Te gusta! ¡Sabía que eras una pequeña zorra! No sabía que tú también eras virgen, ¡qué bien! Me divertiré más disfrutando de este culito apretado, ya verás como al final pasa un camión por él".

Me archiva y me hace disfrutar mucho. Se tumba y me hace empalarme en él y con sus manos me arranca literalmente los pezones dándome un placer/dolor que hace que me corra sin tocar la polla. Arquea las piernas y me folla rápidamente, luego se retira y me pone de rodillas frente a él.

"¡Vamos, chúpala y te haré beber el semen! ... ¡Ya verás, te va a gustar! ... Vamos, chúpate esa. así".

Vuelve a meterme la pértiga en la garganta y, de repente, hace estallar un río de semilla muy caliente que intento, entonces inexperta, no dejar escapar. Desde ese día soy su puta. Me coge y me folla en cuanto se presenta la oportunidad. Me vuelve loca cuando me folla e insulta, humilla y me dice de todo. Lo disfruto, me gusta ser sumisa y él lo sabe. Cuando lo provoco, me embiste con una furia salvaje asolando mi culo.

"...aahhii ... sí... ¡Cerdo! Disfrutas follando con mi hermana y pateando el culo del cuñado".

Durante unos dos años mi vida ha sido terminar mis estudios y hacer feliz al cerdo que inunda mi culo con una cantidad industrial de semen muy caliente. Un sábado por la tarde voy caminando por las calles de la gran ciudad que está a unos cincuenta kilómetros de nosotros, cuando veo un cartel en el escaparate de una tienda de ropa que pide un vendedor. Voy decidida, he terminado el bachillerato, no quiero ir a la universidad, así que tengo que encontrar un trabajo. Intercambio algunas frases con el propietario. Un hombre guapo, de dos metros de altura, hombros anchos, moreno, con un mechón de pelo blanco en las patillas que le da un aspecto fantástico de macho. El lugar está ahí para él, pero tengo que demostrar que sé cómo tratar a los clientes. Justo en ese momento entran dos mujeres. Inmediatamente pasé a la acción y, sin saber nada de moda, ni de muestras ni de nada, les invité a probarse diferentes modelos. Al final fue un éxito, y los clientes se fueron después de gastar mucho dinero. Flavio, el propietario, quedó favorablemente impresionado por la delicadeza y la facilidad con la que trataba a los clientes, y quiso contratarme inmediatamente de forma permanente. Me doy cuenta de que, al ser de fuera, no tengo un lugar donde dormir. No se desanima.

"Eso no es un problema, tengo un gran piso que sólo ocupo yo, puedes venir a mi casa al menos hasta que encuentres algo mejor".

Me lo propone con mucha naturalidad. Acepto.

Por la noche descubro que tiene un precioso ático finamente amueblado. Me siento atraída por el chico que me hace sentir inmediatamente a gusto. Me ofrece ducharme y, cuando me desnudo, le veo mirarme con ojos que brillan de alegría, como los de un niño ante un escaparate de juguetes. Lentamente se acerca, me besa el cuello por detrás, siento un gran paquete encajado entre la hendidura de mis nalgas, me tiemblan las piernas, estoy muy excitada. Entramos juntos en la ducha. Me masajea y me cubre de besos, y luego, envueltos en una toalla blanca, nos trasladamos al dormitorio, donde puedo ocuparme de su paquete, que me ha impedido tocar todo el tiempo.

Comparado con el de Luca, es más pequeño en circunferencia, pero definitivamente bonito y largo. Se la meto hasta el fondo de la garganta. La deslizo más allá de las cuerdas vocales, tengo tanta experiencia con la polla de Luca que me parece pan comido. Mientras tanto, me ha lubricado bien por detrás, y luego se tumba de espaldas y empuja toda esa bondad dentro de mí. Me empalmo y disfruto lentamente durante mucho tiempo. Tortura mis pezones divinamente, apretándolos hasta la muerte con un dolor que me excita mucho. Pasamos la mayor parte de la noche follando. Debo admitir que tiene una resistencia considerable. Por la tarde del día siguiente me lleva al pueblo para recoger mis cosas. Una vez en la casa, sólo encuentro a Luca, que está viendo un gran evento deportivo en Sky. Me mira y se da cuenta de que me voy. Mira el otro y luego me pregunta qué es. Le respondo mirando a Flavio.

"¡Es tan cerdo como tú!"

Los dos intercambian una rápida mirada de comprensión.

"Si te vas déjame jugar contigo una vez más".

Me pregunta. Permanezco inmóvil. Le miro y luego me arrodillo frente a él, tomando su polla en mi boca mientras Flavio nos observa con curiosidad. Lo chupo bien, excitándome. Me doy la vuelta y le invito a que me folle de pie y doblada a noventa. Sin dudarlo ni un instante, lubrica mi agujerito de forma superficial y lo desliza con fuerza.

"¡Qué fantástica zorra eres! Echaré mucho de menos a Luana.

Flavio observa la escena, aserrando su ya dura polla. Luca le invita a metérsela por la garganta, lo que hace con gusto.

"Deberías saber que es una auténtica zorra. La llamo Luana, y folla mejor que una puta".

Durante unas dos horas soy el objeto de deseo de esos dos cerdos que me tratan como una auténtica zorra, me humillan y me cubren de insultos que tienen el efecto de hacerme disfrutar de verdad. A partir de ese momento, mi vida cambió radicalmente. Durante el día soy Sergio, el perfecto vendedor de ropa de mujer, mientras que por la noche me convierto en Luana, la puta que hace venir a su macho. Pasaron algunos años y perfeccioné cada vez más mi técnica de disfraz. Me perfecciono al vestirme, afeitarme, caminar con tacones y maquillarme. Con Flavio vivo experiencias siempre emocionantes. Luego, hace unos dos años, me llevó a cenar vestida de mujer, y a partir de esa noche me convertí en Luana para siempre.

"Cariño, ¿has decidido cuál quieres llevar?"

Me pregunta con un beso.

"Pongamos esta con la mini, y la que muestra mi lado B con medias".

Esa noche me encontré con un amigo suyo que me ofreció doscientos euros para dormir una noche conmigo. Carlo, así se llama, es un hombre guapo, no demasiado alto, pero simpático y amable. Habría ido con él incluso gratis, pero insiste en pagarme, dice que le excita más. Con el permiso de Flavio pasé una noche fabulosa con él, durante la cual me folló durante horas con una hermosa polla de proporciones considerables, corriéndose sobre mí. Ahora de vez en cuando me busca, me paga para tenerme sólo para él una noche. Que me paguen me excita mucho, Flavio está un poco celoso, pero un hecho triste le convence de cambiar su actitud hacia mí. Hace aproximadamente un año tuvo problemas de próstata que comprometieron su siempre viril erección, así que puso un anuncio en una página web y exigió seleccionar a los machos que tienen que montarme, porque como él dice:

"El culo de Luana es para muchos, pero no para todos".

10. Noche de Navidad

La noche del 24 al 25 de diciembre es conocida por ser una noche mágica para niños y adultos.

Papá Noel llega con su trineo para traer regalos a los niños que se han portado bien durante el año.

Pero en mi país, cuando llegas a cierta edad, la noche de Navidad es un momento de liberación, porque esa noche puedes quedarte hasta tarde con tus amigos o familiares.

Ese año no recibí ninguna invitación para pasar la noche con mis amigos, porque al día siguiente trabajaban como camareros.

Así que me resigné a pasar la noche en casa con mis familiares.

Pero unos días antes, una amiga mía, durante un café, me propuso ir con ella y sus amigas a la casa de un tal George.

Al principio decliné la invitación porque no conocía al propietario, pero por otra parte no me apetecía quedarme con los viejos. Así que decidí aceptar.

Me explicó a los participantes, y como conocía a la mayoría de ellos, me alegré (pero no demasiado) de conocerla el día 24.

Hacia las 11 de la noche intercambiamos algunos mensajes con este amigo mío y decidimos reunirnos después de la medianoche, tras intercambiar saludos con los familiares.

Llegó la medianoche, fui a dar la vuelta al bebé en la cuna y empecé a recorrer la mesa para desear Feliz Navidad.

Corrí a mi habitación, me cambié de ropa, me despedí de todos y fui al encuentro de mi amigo.

Esperé unos minutos a que bajara y, tras intercambiar saludos, nos dirigimos hacia sus amigos.

Llegamos a un edificio y, en lugar de subir las escaleras, bajamos al sótano, donde descubrimos que había una sala de estar con una cocina y un sofá, acogedor y preparado para acoger a la gente.

Cuando llegamos, nos deseamos lo mejor, y allí conocí al anfitrión, George.

Un poco tímido, me acerqué a él y le deseé lo mejor, y me saludó con una sonrisa e inmediatamente me hizo sentir a gusto.

Respiré aliviado y fui a sentarme a la mesa para empezar a jugar. Le pregunté a mi amiga dónde quería sentarse y se sentó a mi lado, pero estaba tan emocionada que se puso a charlar y ni siquiera respondió a mi pregunta.

Así que elegí un asiento al azar y esperé a que los demás se sentaran.

Cuando llegó el momento de jugar, George se sentó frente a mí y a cada mirada insinuaba una sonrisa de bienvenida.

Empezamos a jugar. De vez en cuando miraba al apuesto propietario, al que había visto algunas veces en la calle pero no me había dado cuenta de lo encantador y amable que era.

De vez en cuando nuestras miradas se cruzaban, pero nada tan llamativo, eran miradas amistosas.

De repente, mientras jugábamos con George, las cartas cayeron debajo de la mesa, pero al intentar tirar de ellas hacia él con la pierna, empujó la carta cada vez más lejos. Extendió su cuerpo por debajo de la mesa y me rozó la pierna para recoger la carta maldita.

Este gesto suyo no despertó nada en particular en mí, pero sentir aquellas piernas tocándome me produjo un extraño escalofrío.

Después de varias horas de juego, muchos de mis amigos necesitaban salir a fumar un cigarrillo, ya que esto no estaba permitido dentro de la sala, entre otras cosas porque no había ninguna ventana para reciclar el aire.

De repente, la habitación se quedó vacía y nos encontramos de nuevo sentados a la mesa, George y yo y alguien más. Estaba de pie a un lado con su teléfono, quizás respondiendo a varios mensajes navideños.

Pero en un momento dado, levantó la vista, se dirigió a mí y empezó a hacerme preguntas sencillas.

Acepté de buen grado y juntos mantuvimos una charla para conocernos mejor.

Durante esta charla, me fijé en sus labios, estaban llenos y no niego que quería morderlos.

Todos volvieron del descanso y empezamos a jugar de nuevo. Pero esta vez cambiando el juego.

Así que había dos grupos distintos en esa mesa, a mi izquierda jugando a las cartas y a mi derecha jugando al Monopoly.

Nos quedamos en el centro de la mesa, George y yo, y él seguía preguntando cada vez más sobre mí y sobre lo que hacía. Así que estábamos en medio de la confusión, pero sólo podíamos oír las voces de los demás.

Era una sensación extraña, para mí lo que era un extraño parecía un viejo amigo.

De repente, un amigo suyo le pidió una mesa aparte para poder jugar mejor. Entonces George se levantó de la mesa y pidió una mano para cogerla, pero nadie se presentó. Entonces George me pidió que le ayudara y le seguí fuera de la habitación.

Entramos en una habitación contigua, George la abrió y encendiendo la luz me indicó qué mesa debía coger, me coloqué con las manos debajo y empecé a levantarla... Él sonrió y burlándose me dijo que era demasiado fuerte. Sonreí y me burlé de él también, diciendo que era un pelele, entonces se rió y levantando la mesa con una mano demostró su fuerza.

Riéndonos de ello, nos dispusimos a llevar la mesa a los demás, pero entonces George me pidió que le siguiera de nuevo, no entendí por qué, ya que la puerta de la otra habitación se quedó abierta.

Le seguí dubitativo y, mientras seguíamos hablando, me dijo que quería enseñarme algo. Llegamos a esa habitación y en cuanto estuve dentro, pidió la puerta, apagó la luz y acercándose a mí por detrás empezó a besarme el cuello....

Me sentí un poco intimidada, pero bastante excitada, mientras él seguía besando mi cuello, me eché hacia atrás y le acaricié la nuca.

Entonces, de repente, me dio la vuelta y me metió la lengua en la boca, la abrí y dejé que su lengua se mezclara con la mía. Estaba bastante confundida, pero cada vez más emocionada.

Pero de repente un ruido nos devolvió a la realidad. La puerta de la habitación en la que se encontraban los demás se abrió y luego volvió a cerrarse. Definitivamente, alguien había salido. Nos detuvimos y George se inclinó cerca de mi oído y me susurró: "¡Ahora voy a despedirlos y vamos a continuar!

No sabía qué decir, así que George se apresuró a encender la luz y al ver a través de la puerta si había alguien me invitó a salir y cuando estuve fuera corrí a la otra habitación.

Me senté en mi asiento y, con el corazón palpitante, pensé en lo que estaba pasando. Era extraño, pero me encantaba.

Al cabo de unos minutos, George entró en la habitación y dijo, molesto: "Chicos, son las 3:30, estamos haciendo demasiado ruido y mis padres dicen que podría molestar al vecindario. Se oyó un rugido de "Noooo" en la sala, pero cuando la noche se acercaba a su fin, una chica inteligente respondió que sin duda podíamos bajar el volumen.

Vi la cara de decepción de George y me dijo: "De acuerdo, pero al siguiente grito, ¡todos a casa!".

Cada uno volvió a su juego, pero esta vez en silencio. Apenas se podía oír un susurro a la vez. Entonces George se sentó en su asiento frente a mí, jugueteó con su teléfono y poco después me lo entregó.

En un borrador de un mensaje de texto me pidió mi número de teléfono. Lo anoté y devolví el teléfono al remitente.

Añadió mi número a su libreta de direcciones y empezó a mandarme mensajes de texto, diciendo que qué pesados son estos, que no se van, etc. Mis únicas respuestas fueron risas y carcajadas. ¡Pero nunca mencionó lo que quería de mí o lo que quería hacer conmigo!

Eran ya las cuatro y cuarto y los rostros de muchos empezaban a mostrar signos de cansancio. George tomó entonces cartas en el asunto y dijo a todos que era hora de irse. Todo el mundo se levantó, guardó las sillas, se puso la chaqueta y salió.

Me puse la chaqueta y seguí a mi amigo fuera de la habitación. Mi amigo agradeció a George su hospitalidad y yo hice lo mismo, George sonrió y en voz baja me dijo que comprobara mis mensajes.

Descolgué el teléfono y leí su mensaje invitándome a reunirme con él 10 minutos después, todavía allí. Le envié un corazón y salí hacia el coche. Tenía que llevar a mi amiga a casa, pero ella vivía cerca de otro participante y me dijo que se iba a casa con él. Acepté y subí al coche. Esperé a que todos se fueran y escribí a George. Me contestó inmediatamente y me dio instrucciones muy precisas: sobre dónde poner el coche, para entrar por otra puerta, evitando así que alguien supiera de nosotros.

Seguí todas sus indicaciones y llegué al interior de la sala que acababa de llenarse de gente. Esta vez fue silenciosa. Encontré que George me sonrió y cerró suavemente la puerta y luego dio todos los mandatos de seguridad.

Se acercó a mí y esta vez, en lugar de agarrarme por las caderas, empezó a palpar mi paquete, todavía vestido con ropa interior y pantalones. Seguí sus movimientos y le imité... Nuestros ojos se miraban esta vez y nuestros corazones latían rápidamente en nuestros pechos... Nuestros suspiros empezaron a ser pesados...

Empezamos a desnudarnos mutuamente sin dejar de tocarnos. Sentí sus manos frías sobre mi cuerpo, mientras George sentía las mías calientes tanteando su polla....

Cuando estuvimos en ropa interior, George no dudó ni un minuto, me bajó los calzoncillos y cogió mi polla en la boca y empezó a chuparla suavemente... Mi polla se puso muy dura en un instante, y mientras estaba de rodillas me miraba a la cara buscando la seguridad de que estaba disfrutando. Le puse la mano en el pelo y jadeando en voz baja le hice saber que todo era muy bienvenido. George siguió chupando, metiendo mi polla en su garganta, mientras con una mano empezaba a acariciar lentamente su propia polla, que obviamente se ponía más dura cada segundo.

George continuó lamiéndolo, con su mano en mi eje se le escapó mi pene e inmediatamente se lo tragó de nuevo en su garganta...

Entonces, de repente, se detuvo y me cogió de la mano, se levantó y me hizo tumbarme en la mesa.

Cuando me sentí cómodo, se subió y de espaldas a mí se acercó a mi polla llena de deseo. La agarró con la mano y, inclinando la espalda, la dirigió hacia su agujero...

Cuando estuvo dentro de él, se detuvo un momento, dirigió su mirada hacia mí, me miró un momento, se lamió sensualmente los labios y apoyándose en mis piernas, empezó a cabalgar lentamente...

Podía oír su respiración cada vez más profunda y la mía también empezaba a ser muy pesada... George seguía montándome como una amazona, pero yo tenía mucha hambre, esa sensación me estaba excitando demasiado. Así que le pedí que se bajara y se agachara sobre la mesa, mientras yo me colocaba justo detrás de él... Me escupí la polla y mientras me mojaba la polla George dijo con voz amenazante: ¡¡¡Fóllame!!!

No hice esperar más a aquel chico, me incliné sobre la mesa, y después de haber centrado el agujero, empecé a penetrarle de nuevo... Cuando volví a estar dentro, empecé a follarle lentamente al principio, y luego a aumentar poco a poco el ritmo... George estaba disfrutando, y sus suspiros empezaron a tener voz... Primero empezó a emitir pequeños gritos y luego empezó a gemir mucho más fuerte...

Mientras disfrutaba me detuvo poniendo su mano en mi muslo, me dijo que necesitaba mirarme a la cara, así que le hice tumbarse en la mesa y sentándome en una silla empecé a lamerle el agujero para hacerlo aún más accesible y luego pasar a su polla, bonita y grande con una cabeza rosa brillante... George le tocó los pezones mientras yo seguía con mi trabajo y lamiéndose los labios jadeaba...

Con la polla aún dura, me levanté y abriendo las piernas comencé a penetrarle de nuevo. Le agarré las piernas entre los brazos y le apalancé hacia mi polla que entró toda dentro de él... George estaba en éxtasis gimiendo y gritando de placer siempre relamiéndose los labios... George estaba disfrutando y yo también era un toro deseando esparcir mi semilla... Mis movimientos se volvieron frenéticos y mi respiración también se volvió demasiado agitada... George se agarró entonces la polla con la mano y empezó a masturbarse rápidamente... En unos instantes le oí jadear con fuerza y una lava blanca salió de su volcán y le salpicó el vientre...

Saqué mi polla de George y me incliné para ver su agujero que ahora era amplio y seguía lleno de ansias... pero no pude contenerme más así que me subí a la mesa y me puse justo encima del cuerpo de George y empecé a acariciarlo... George entendió mis intenciones y esperando que me corriera puso la boca abierta... Yo también me dejé llevar muy rápidamente y empecé a aullar frotando mi polla cada vez más fuerte... Salpicaduras de dulce miel blanca cayeron sobre el cuerpo de George que se estiró sobre la mesa y trató de saborear algunas gotas... aún pegajoso George se levantó de la mesa y me sentó en la mesa y comenzó a lamer mi polla aún húmeda de esperma... La limpié bien y acercando mi boca me besó y con su lengua aún inseminada intercambiamos una tierna limonada.

Todavía jadeando, llevé a George al cuarto de baño y le ayudé a limpiar su esperma, y acariciándonos y besándonos volvimos a vestirnos.

Miré la hora, ahora eran las seis de la mañana. George me sonrió y me dijo: "¿No te gustaría un croissant?". Sonreí y dije que sí. Caminamos juntos hacia el coche y buscamos un bar abierto. Desayunamos juntos y al volver a su casa me besó... y al salir del coche me dijo: "¡FELIZ NAVIDAD, FE!

"FELIZ NAVIDAD PARA TI, GEORGE", respondí.

Encendí el motor y conduje a casa.

...Era Nochebuena... ¡La noche más mágica!

12. Carlo

Conozco a Carlo desde que éramos niños y solíamos ir al mismo pequeño gimnasio de provincias. Enseguida estuvimos muy unidos y en el primer periodo estábamos a menudo juntos incluso fuera del gimnasio. Luego la vida nos distanció un poco, pero seguimos en contacto, él se casó y yo afronté mi homosexualidad con la familia y los amigos. Carlo lo aceptó todo con calma y durante un tiempo empezamos a vernos de nuevo para tomar una cerveza de vez en cuando por la noche. Mucha charla, realmente ríos de palabras para contarnos sobre el trabajo, mis conocidos ocasionales o más duraderos, la primera vez que me enamoré de verdad, su mujer, ¿quieres comprar una casa? ¡Bien hecho! Haces bien en mudarte. ¿Cerveza?, ¡bien, cerveza!

Luego la vida sigue, él se compra una casa en el campo, yo un ático en el centro de la ciudad, una aventura, luego un nuevo novio y después su divorcio.

Luego, yo ayudándole a él y a su hermano a mudarse a su piso de dos habitaciones en la ciudad. Unas cuantas cajas, muchas bolsas, mucha confusión. "Cerveza, necesitamos una cerveza, vamos a celebrarlo". "¿Por qué brindamos?" "No lo sé". "Hasta el final de las cajas... hasta nuevos comienzos...." "¿Dónde duermes estos días?" "Tiraré el colchón al suelo y me las arreglaré" "Mierda, ven a mi casa" "Sí, no, sí, no, sí, sí.

Es hora de cambiar las sábanas de mi cama y coger lo que necesito para ir a dormir al sofá. "Por supuesto que te dejaré mi habitación, trato bien a los invitados". Dormimos.

Me alegro de haberle encontrado de nuevo como amigo, siempre he sentido una gran atracción por él, quizá demasiada, lo reconozco. Pero las risas que siempre teníamos, su cara siempre sonriente....

Me gusta Carlo, me gusta. Tengo una erección, pero será la habitual de la mañana.... Decido ducharme y preparar el desayuno mientras él sigue durmiendo.

Con dos tazas de café abro la puerta de mi habitación lentamente:

"Carlo, ¿estás despierto? Ahh estás jodiendo con el móvil, no quería despertarte, tómate un café" "Oh joder, gracias, ¿pero hasta el desayuno en la cama? Mi mujer nunca me la trajo...jaja" "Entonces es bueno que la hayas dejado...jaja" "Ven a sentarte conmigo"

Su físico es un poco más pesado de lo que recuerdo del gimnasio, pero han pasado unos quince años desde entonces, pero me sigue gustando, su pecho ancho y grueso con pelos cortos y marrones que bajan desde la barba hasta la garganta y siguen llenando uniformemente su pecho, subiendo un poco hasta los hombros, así como su vientre con una franja más gruesa que va desde el esternón hasta el ombligo. Siempre me han gustado sus manos, grandes y con pelo hasta los nudillos.

Sentado apoyado en el cabecero de la cama tiene un aspecto tan varonil que me hace hervir la sangre, no, nunca lo había mirado así....

"¿Qué estás mirando?"

"No... nada... ¿eres feliz?"

"Me mudo y salgo...."

Terminamos el café y estoy a punto de ir "¿A dónde vas?" "Estoy lavando tazas... no puedo quedarme aquí sentada viendo a un hombre desnudo en mi cama sin hacer nada" Y nos reímos.

"No estoy desnudo, llevo calzoncillos" "Ahh entonces me corrijo: no es que pueda sentarme aquí y ver a un hombre semidesnudo en mi cama sin hacer nada"

Desliza las manos por debajo de las sábanas y las retira tirándolas al suelo "Ahora hay un hombre totalmente desnudo en tu cama" Le miro sin saber qué decir.

"Estira la mano y agarra mi muñeca, vinos aquí", me siento.

"¿Y eres feliz?"

"Yo... intento... he estado, tal vez... no sé... ahora no.... estoy bastante sereno pero no soy feliz".

Me atrae hacia él y me besa, tocando mis labios

"Carlo..... ¿qué pasa...?" "Te he besado y quiero volver a hacerlo".

Me doy cuenta de que, al menos en lo que a mí respecta, son mis hormonas las que controlan mis movimientos.

Me siento encima de él, sobre las sábanas que nos separan, y le beso. Un beso que empieza tímido y en tres segundos se convierte en casi voraz. Las lenguas luchan, le muerdo los labios y beso repetidamente sus mejillas barbudas, mis manos en su cabeza, las suyas en mi cuello para atraerme hacia su boca.

Me separo para recuperar el aliento.

Ojo a ojo y empezamos de nuevo.

Me quita la camiseta, mis bóxers se tensan por mi erección reventada.

Me quito la ropa y él se quita las mantas.

Joder qué espectáculo, me avergüenza su belleza, una belleza que quizás solo a mis ojos es tan alta porque hace años que lo anhelo y ahora que lo miro me parece el más bello del mundo.

Su polla es grande, muy grande, debe ser el doble que la mía en longitud y grosor, pero ya estoy acostumbrado a este tipo de comparaciones... en estos años de encuentros casuales me han confirmado que no soy un gran pene... Me siento en la posición de antes y le beso de nuevo, pero ahora nuestros cuerpos están piel con piel y es una sensación maravillosa.

Lo hago.

Mi boca baja por la garganta, por el pecho y vuelve a bajar.

"Túmbate" Ejecuta.

Me doy cuenta de que es un poco torpe, no tiene mucha experiencia en el sexo entre hombres.

Empiezo a besar de nuevo su pecho y a lamerlo, sus pezones son diminutos y están hinchados como dos frambuesas y cuando juego con mi lengua y mis dientes gime en voz alta "Oh Dios... qué estás haciendo..." "Sssst.... déjame hacerlo..." Llego a su vientre y finalmente a su polla y a sus huevos.

Lo hago lo mejor que puedo y sé que soy bueno en ello y sus manos pican la sábana mientras cojo primero uno y luego el otro testículo en mi boca y los chupo mientras asierro su polla. Lo pruebo con la lengua llena, es grande y hermoso, de color rosa claro, perfecto. Cuando me dedico a la cabeza entonces pone sus manos en mi cabeza y me da el ritmo.... claramente conoce la sensación que da una bomba bien hecha... Me detengo de repente y al encontrarme con su mirada interrogativa tomo de la cabecera el condón y el gel. "Quiero sentirte dentro de Ca, te quiero dentro" Operación casi fácil, estoy acostumbrada a tomarla por el culo y me empalmo en ese pozo de Dios en dos minutos hasta que me siento en el pubis y me muevo.

Suspira y echa la cabeza hacia atrás durante mis primeras subidas y bajadas, luego toma el control y empuja su pelvis hacia arriba mientras lo meto hasta el fondo. Sus manos en mis caderas las mías en su pecho y es hermoso. Ojos en los ojos.

Se corre después de muchos minutos en los que me empiezan a doler las rodillas y los muslos de tanto montar y ella se retuerce y se corre temblando como una anguila y casi grita.

Me masturbo rápidamente y prácticamente al mismo tiempo le salpico el vientre y no puedo apartar los ojos de mi semen que se está embadurnando y pegando en los pelos más gruesos alrededor de su ombligo.

Nos calmamos pero sigo empalagado cogiendo sus manos y llevándolas a mi cara le beso las palmas. En silencio.

"Joder que .....che... ¡qué fantástico polvo!" ese es el Carlo que yo conozco, si no dice un polvo para arruinarlo todo no sería él, o tal vez le está quitando importancia para que no nos sintamos avergonzados.

A regañadientes, me desprendo de la polla flácida que se desliza. Y me acuesto a su lado. Se da la vuelta y me besa de nuevo. Nos quedamos así en silencio durante un rato.

"Estuvo bien, Ca"

"Eso estuvo bien, si follar con un hombre es siempre así, debería haberte preguntado antes".

"¿Es la primera vez?"

"Sí, nunca podría haberlo hecho con nadie más que contigo, eres tú".

-con alguien que no eras tú- repito en mi mente, así que......

"No sabía lo que era, no sabía cómo definir nuestra amistad, sólo sabía que contigo me sentía tan libre como con cualquier otra persona".

"Siempre he..."

"Sttttt..." me pone un dedo en los labios en señal de que me calle.

Sujeto su polla con la mano después de quitarle el condón demasiado lleno. "Hace años que no follo...", sonríe socarronamente.

Y mientras lo beso ligeramente, siento que se le pone dura de nuevo.

Nos reímos y la paja continúa y él me masturba.

"Vuelve a metérmela, ¿quieres?"

"Por supuesto que sí"

Ciertamente está más a gusto en el estilo perrito y me empieza a doler el culo, pero si detiene un poco su empuje soy yo el que salta hacia atrás para tomarla.

Cambiamos de posición dos veces más hasta que se vacíe de nuevo.

Dormimos abrazados, con mi cabeza sobre tu pecho.

La mudanza ha terminado, su casa está arreglada, las tardes de cerveza y charla y los amigos han vuelto a empezar, pero ahora la noche es casi siempre juntos.

13. El amor en el tiempo de la cuarentena

La peste hacía estragos en la ciudad desde hacía demasiado tiempo, y la labor de médicos, cirujanos y boticarios se había revelado hasta ahora ineficaz: el contagio se extendía, sin que nada pudiera contrarrestarlo, y los muertos se amontonaban al borde de la carretera, donde eran recogidos por el servicio de recogida de basuras y enterrados en fosas comunes sin ni siquiera un rito funerario para consolar a los afligidos familiares. Si es que todavía hay alguien dispuesto a lamentarse en esta desolación general.

El fracaso de la ciencia médica hizo que el Gobernador General impusiera un toque de queda durante todo el día, con una breve pausa desde las once hasta el mediodía, para que la gente pudiera comer. Pero las tiendas y los comercios estaban casi todos cerrados, ya que no quedaba nada para comerciar, salvo unas pocas palomas escuálidas que habían sido lo suficientemente temerarias como para dejarse atrapar.

Durante el resto del día, no se permitía a nadie salir de su casa, bajo pena de multas muy severas, si no de cadena perpetua, si se descubría que estaban untados con el contagio.

Gualtiero caminaba apresuradamente por la calle desierta, deslizándose por las paredes de las casas silenciosas; aunque estaba bien envuelto en su capa, de vez en cuando sentía un escalofrío que le recorría todo el cuerpo, pero no tanto por el frío, aunque mordaz en aquella tarde de febrero, como por el miedo a encontrarse con alguna patrulla de la milicia de la ciudad.

Sabía que si le hubieran pillado, no se habría librado tan fácilmente, ya que no tenía ninguna razón realista o apremiante para estar fuera de casa a esa hora: sencillamente, no podía soportar estar encerrado en aquella habitación fría y húmeda, en aquella casa vacía, donde podría respirar en descomposición incluso antes de morir. Gualtiero ya no podía soportar la soledad y el silencio de aquellos muros, que parecían cerrarse sobre él, así que se había envuelto en su capa y se había escabullido, encontrándose ahora caminando rápidamente, rozando los muros y temiendo a la patrulla, pero respirando casi con alegría aquel aire limpio y fresco que olía a libertad.

Por fin empezaba a sentirse un poco aliviado: el parque estaba ahora a poca distancia. Por supuesto, las últimas ordenanzas prohibían terminantemente ir a lugares públicos y, sobre todo, a los parques, pero Gualtiero estaba dispuesto a arriesgarse: no había visto una polla en casi tres meses, desde el comienzo de la cuarentena, y su deseo era tan espasmódico que se sentía desgarrado sólo de pensarlo.

No sabía lo que habría dado por tocar uno de ellos, por tenerlo en sus manos cálido y palpitante, por oler su agrio aroma, por saborear sus deliciosas primicias... Gualtiero se sintió estremecer ante aquellos licenciosos pensamientos y en la palpitación casi orgásmica del momento sintió que la cabeza le daba vueltas, tanto que tuvo que agarrarse a una anilla de la pared, de las que antes se utilizaban para atar a los caballos. Pero se recuperó rápidamente, sobre todo al oír detrás de él el repiqueteo de la patrulla que se acercaba. Así que se retiró apresuradamente a un hueco de la pared, agazapado detrás de unos contenedores providenciales, que olían a basura que no se había recogido desde hacía tiempo. Allí, escondido, Gualtiero observó a la pequeña tropa que pasó frente a él y siguió adelante: sólo eran tres, muy jóvenes, quizá de unos veinte años, y marchaban, armas en mano, con paso marcial. En particular, a Gualtiero le llamó la atención uno de los tres, un hombre rubio que por un instante pareció dirigir su mirada hacia él: admiró su rostro cincelado, su físico armonioso, sus piernas de sólida marcha y, siguiéndolo con la mirada, sus musculosas nalgas apretadas en el uniforme.

"Joder...", siseó, sintiéndose golpeado por un sofoco.

La patrulla salió de su campo de visión y poco después el sonido de los pasos se desvaneció en la niebla húmeda que empezaba a levantarse lentamente. En cuanto volvió a haber silencio, Gualtiero se asomó a su escondite y, al ver todo desierto, se atrevió a salir. Por un momento estuvo tentado de volver a la seguridad de los muros de la casa, pero sólo la idea de encontrarse encerrado entre aquellas paredes frías y sin vida le perturbó. Por si fuera poco, la visión del magnífico gendarme de hacía unos momentos le había avivado todo: su deseo de polla se convirtió en una necesidad espasmódica.

Reanudó su paseo y poco después vio asomar la valla del parque, fantasmagórica por los árboles desnudos, pero con arbustos afortunadamente lo suficientemente espesos como para proporcionar un buen refugio. La entrada al parque estaba acordonada con un gran cartel:

"Pero el joven, después de mirar a su alrededor, saltó las barreras y caminó por un sendero de grava, desapareciendo pronto de la vista de cualquiera que pasara por la carretera.

Esperaba que alguien más hubiera tenido la misma idea, pero no se veía a nadie en las avenidas desiertas, sobre las que la niebla se cernía cada vez más. Por un momento, Gualtiero se sintió como si estuviera en una película de terror, con algo espantoso saltando de repente hacia él desde un lugar quemado por la escarcha; sintió pánico, tanto más agotado por el frío y la decepción; pero sacudió la cabeza y decidió que seguiría un poco más antes de volver a casa.

Pasaba por delante de un cobertizo de servicio cuando oyó un crujido detrás de él. Dio un salto con el corazón en la garganta y se giró de repente. No había nadie. Miró a su alrededor con los ojos muy abiertos, apoyándose en la pared del cobertizo por instinto de defensa. No quería admitirlo, pero estaba muerto de miedo. Fue entonces, con el rabillo del ojo, cuando vio que se acercaba una sombra. Su corazón empezó a latir con fuerza y se arrepintió amargamente de haber venido. Su mente trabajaba a cámara lenta: estaba a punto de decidirse a mover las piernas y huir cuando:

"¿Qué haces aquí?", se oyó decir con una voz áspera pero al mismo tiempo armoniosa.

Gualtiero se giró de repente: un gendarme estaba frente a él con una ametralladora desenfundada.

"¿Qué haces aquí? - repitió la voz - ¿no sabes que está prohibido?"

Ya asustado por esta repentina e inesperada aparición, Gualtiero

Se sintió aún más confuso cuando se dio cuenta de quién era el recién llegado: era el joven gendarme, en cuya admiración se había perdido antes. ¿Cómo había llegado hasta allí? ¿Le había visto trepar por las barreras? ¿Le había seguido?

"¿Y bien?", le instó el gendarme, apuntándole con su ametralladora.

"Yo...", tartamudeó Gualtiero, nublado por el pánico y al mismo tiempo subyugado por el magnetismo erótico que desprendía el otro, "salí...".

"Veo que has salido. ¿No sabes que la orden del Gobernador General prohíbe salir de casa sin un motivo? ¿Tienes una razón? ¿Tienes una puta razón para estar aquí a estas horas?"

Empujado por el aluvión de preguntas, el pobre Gualtiero jadeaba más muerto que vivo: conocía bien la ordenanza y las severas sanciones para quienes fueran sorprendidos conduciendo sin una razón válida fuera de la franja horaria. ¿Y qué razón tenía?

"Yo... necesitaba... caminar un poco...", improvisó con un filo en la voz.

"Oh, necesitabas caminar... -se burló el gendarme- y justo aquí te trajo la necesidad de caminar? Los maricones vienen aquí a ligar, ¿no lo sabías? Claro que lo sabías... Digo que has venido a propósito... que has venido a ligar...", no era una pregunta, sino una afirmación de hecho, y había una sonrisa ambigua en sus labios, una sonrisa que lo hacía aún más encantador a los ojos de Gualtiero.

"Muévete", continuó el gendarme, haciéndole señas con su ametralladora.

"¿Adónde quieres llevarme?", tartamudeó Gualtiero.

"En la cárcel. La ordenanza es clara: quien sea sorprendido en la calle fuera de la franja horaria y sin motivo justificado se expone a ser detenido, etc. etc."

Gualtiero sintió que se congelaba ante estas palabras.

"Por favor...", le suplicó ella.

¿"Por favor"? Ah! -se burló el gendarme, riendo-, tendría dos motivos para meterte en la cárcel: primero, porque violaste la orden del gobernador, y segundo, por exhibición indecente.

"¿Exposición indecente?", dijo Gualtiero, que mientras tanto había recuperado algo de control.

"Hasta que se demuestre lo contrario, éste es un lugar público", dijo el otro con una sonrisa sádica en los labios: claramente, se estaba divirtiendo como nunca.

"¡Pero yo no veo ningún acto obsceno!", protestó Gualtiero.

"Sí, por ahora. Bájate los pantalones", le ordenó.

"¿Qué?"

"¡Bájate los pantalones!", le ordenó el gendarme, apuntándole con su ametralladora.

Intimidado y sin fuerzas para protestar, Gualtiero se desabrochó el cinturón con dedos temblorosos, luego se desabrochó los pantalones y los bajó hasta medio muslo. Los ojos del gendarme brillaron por un momento en la ahora sombría luz del atardecer, y luego, en un tono sombrío:

"¡También los calzoncillos!", le ordenó ella.

Encontrarse delante de aquel desconocido con los pantalones bajados y los cojones helados fue un latigazo de lujuria para el pobre Gualtiero, que temblaba, pero no tanto por el frío, mientras un temblor invadía su polla, que insinuaba un ligero tirón. El apuesto gendarme sonrió.

"Extiende tu capa en el suelo", le ordenó, "y túmbate sobre ella".

Ignorando el frío húmedo del parque, el joven se desató la capa, la extendió en el suelo y se tumbó sobre ella, apoyándose en los codos.

Se sentía expuesto, vulnerable, completamente a merced de aquel gendarme, que ahora lo tenía agarrado. Y que se acercó hasta dominarlo.

"Ahora tenemos la exposición indecente. - dijo con una sonrisa - Podemos decir que os hemos pillado en un rincón del parque, semidesnudos y con los pantalones bajados, esperando a que venga alguien para hacer alguna travesura, a pesar de que la ordenanza exige que os mantengáis al menos a un metro de distancia... Y esa es la tercera infracción".

"Pero no esperaba a nadie", protestó débilmente Gualtiero.

"¡Pero si hubiera venido, no te habrías echado atrás, lo habrías enganchado y habrías hecho tus guarradas! ¿No te has bajado los pantalones, delante de mí?".

"Pero si fueras tú..."

"He sido yo, ¿qué? ¡Si no podías esperar a que llegara para poder desnudar tu culo! ¿De verdad crees que no te he visto escondido detrás de los contenedores? ¿Crees que no me he dado cuenta de que se te caía la baba al pasar? Supe enseguida cómo eras y que te encontraría aquí. Ahora, coge esa cosa flácida y mastúrbate".

Gualtiero le miró estupefacto.

"¡Vamos! Te he dicho que te masturbes! -repitió el gendarme, amenazándole de nuevo con la ametralladora.

Ahora, completamente sumiso a la fuerza y el erotismo que desprendía el otro, Gualtiero tomó su polla flácida con dos dedos y comenzó a estimularla lentamente. Mientras tanto, miró fijamente a su torturador, primero durante mucho tiempo a los ojos, luego su mirada bajó por su persona, hasta fijarse en el bulto que había en la convergencia de sus muslos, bulto que el ajustado uniforme resaltaba magníficamente. Se lamió los labios mientras su polla empezaba a endurecerse y comenzaba la paja.

El otro le miró fijamente con ojos brillantes, y mientras seguía sujetando la ametralladora con la mano izquierda tumbado de lado, empezó a masajearse la ingle con la mano derecha...

"Eso es lo que estás mirando, ¿verdad, maricón? - dijo con voz ronca, ligeramente jadeante- ¿te gustaría? Oh, sí, lo harías... ¿lo prefieres en la boca o en tu maldito culo?".

Gualtiero le miraba entre las piernas como hipnotizado: miraba aquella mano pálida que apretaba lascivamente la montura cada vez más grande. Pronto la ametralladora cayó al suelo y la otra mano se unió para tantear... alisar... mullir...

El joven sintió que la saliva se secaba en su boca mientras su mano se deslizaba cada vez más rápido sobre el palo ahora tenso. Y siempre esa voz, insinuante, esos ojos fijos en él, esa sonrisa cruel y encantadora...

"Sí, eso es, mastúrbate, maricón... Mírame... mírame... es esto lo que quieres..." y el gendarme se bajó la bragueta, metió la mano en la bragueta abierta y con un gesto fluido sacó su dura polla, empezando a masturbarse.

El penetrante olor de aquel poderoso órgano llegó a las anhelantes fosas nasales de Gualtiero, aturdiéndolo por completo. Con un gemido voraz, intentó incorporarse, como si quisiera alcanzarlo y llevárselo a la boca; pero el otro hombre le puso el pie en el pecho y lo empujó de nuevo hacia abajo.

"Cállate, mariconcito, sabes que no puedes... Vamos, sigue serrando... Quiero ver cómo te corres... Serrar para mí... corrente para mí..."

Y Gualtiero seguía masturbándose frenéticamente con los ojos fijos en la polla del gendarme, que se lanzaba sobre él, ahora en los espasmos de un orgasmo inminente. Pero el final se acercaba también para él: Gualtiero cerró los ojos, abandonándose al frenesí de un placer hasta entonces desconocido: sentirse presionado contra el suelo por la bota del gendarme, verle asomarse sobre él, oler su polla... todo ello alimentaba su lujuria hasta el espasmo. El orgasmo se estaba apoderando de él, abrió la boca para gritar, todo su cuerpo estaba ahora tenso, y en ese instante sintió que le llovían gotas calientes y pesadas en la cara, en los párpados cerrados, en los labios.

Instintivamente sacó la lengua para lamer el dulce sabor y con una serie de sacudidas se corrió también, inundando su vientre y empapando su grueso vello púbico. Cuando volvió a abrir los ojos, después de limpiárselos con la mano, el otro seguía encima de él y le sacudía la polla casi flácida, mirándole siempre con una sonrisa burlona.

Gualtiero no se movió, sin saber qué hacer.

"Vuélvete a poner la ropa", le dijo el gendarme, dando un paso atrás y reacomodando la polla en los pantalones.

Luego recogió la mitra y cuando Gualtiero se hubo puesto la ropa

"Vamos", le ordenó.

El joven inclinó la cabeza y le siguió con resignación. En silencio, cruzaron el parque, ahora oscurecido, pero llegaron a la carretera:

"Vete a casa", le dijo el gendarme en un tono ahora amable, "y no vuelvas más por aquí". Ya has visto lo peligroso que es".

Gualtiero asintió, incrédulo ante estas palabras, y:

"Gracias...", dijo ella, sin saber cómo expresarle su gratitud.

Pero el otro parecía entenderlo.

"Vete a casa", le repitió ella, "cuando acabe esta mierda, volveremos a hablar". Y no te preocupes: sé dónde vives".

Y con una última mirada, cómplice y tierna a la vez, el gendarme se alejó, desapareciendo pronto en el brumoso resplandor de las farolas.

14. ¿Café o capuchino?

Constantino y Maximiliano tienen 42 años y son amigos desde hace mucho tiempo. Sus padres eran amigos, así que pasaban prácticamente todas las vacaciones juntos, como si fueran una familia. Crecieron juntos y fueron juntos al instituto y a la universidad. Por si fuera poco, decidieron emprender un negocio. Abrieron una agencia de cobros, favorecidos como están por la naturaleza. Sí, porque para ese trabajo tienes que ser como ellos: alto y fuerte. Tienes que inspirar miedo, pero sin ponerte violento.

Ambos miden alrededor de 1,70 m, son bastante peludos y musculosos de nacimiento, también porque van de vez en cuando al gimnasio, pero sin exagerar. Costantino es moreno y siempre lleva una barba de pocos días sin afeitar, para parecer más rudo. Esto lo hace más fascinante, para compensar su belleza no excesiva. Pero, como sabemos, no es imprescindible que un hombre sea guapo.

El más guapo de los dos es Maximiliano. Su pelo y su pelaje son de color rubio oscuro y tiene un bigote espeso y algo más oscuro. Tiene dos ojos azules iridiscentes y una voz profunda y masculina. En resumen, a ambos nunca les han faltado mujeres a sus pies y, por decirlo claramente, incluso algunos niñatos afeminados, pero esto, por supuesto, nadie debe saberlo.

Max (como se le llama comúnmente) ha sido víctima de una chica que, con el habitual sistema femenino, primero le enamoró, luego se quedó embarazada (aunque le dijo que tomara siempre la píldora), se vio obligada a casarse con él y luego, al cabo de unos años, le dejó, llevándose a su hijo, obligándole a mantenerla de por vida. Ahora está divorciado y tiene que pagarle una renta vitalicia.

"¿Sabes qué, Constantino? Hace una semana que no follo. Por la noche estoy cansada y ya no tengo ganas de salir a las discotecas, también porque ya no tengo mucho dinero para gastar en mí. Ya lo sabes. Pero siempre me apetece. Tengo que admitirlo: sigo masturbándome. Tengo que encontrar una solución.

"¿No quieres volver a casarte? ¿No te ha bastado la lección? Además, ¿de dónde vas a sacar el dinero para mantener a otra esposa y quizá a más hijos?"

"Qué suerte que no tengas estos problemas".

"¿Quién te dice eso?"

"Bueno, ¿no me vas a decir que ahora echas de menos a las mujeres?"

"No, por supuesto... Bueno, en realidad no. Yo tampoco tengo ganas de enrollarme más. ¿Qué te parece? ¿Nos estamos haciendo viejos?"

"De ninguna manera. Habla por ti. Te he dicho que siempre se me pone dura. Si tengo una chica en el suelo, me la voy a tirar con fuerza. Te juro que la aplastaré".

"Para Max. ¿Qué quieres decir con "hablar por ti mismo"? Yo también tengo siempre ganas. ¿Qué te parece? Tengo las pelotas tan llenas que si se las meto en la boca a alguna zorra, la ahogo".

"¿Recuerdas aquella vez que nos enrollamos con esa... cómo se llamaba?"

"¿Ese quién?"

"Esa morena inglesa de la pimienta. La que hicimos juntos y que, con todos sus agujeros llenos, chilló tan fuerte que nos arriesgamos a ser descubiertos... Allí cerca del Panteón".

"Ah, sí... Se llamaba Alice, creo".

"Sí, sí, ella".

"Teniéndola ahora, le daría otro buen repaso".

"Sí, en efecto... Pero si lo piensas, hay una solución".

"¿Ah sí? ¿Cuál?"

"Habría alguien que conoces que, por la forma en que te mira, conseguiría que te hicieran cualquier cosa y, si lo permites, yo también podría aprovecharme de eso".

"¿De quién estás hablando?"

"A partir de quién. Vamos, piénsalo. ¿Quién es el que siempre te mira con ojos lánguidos?"

"Ah, dices... Pero no. Es demasiado joven. Además, no creo que sepa hacer nada".

"Mira, la juventud de hoy es mucho más educada que antes. Con Internet pueden ver cualquier cosa... y aprender a hacerlo. Y luego, tenemos que darles servicio".

"Bueno, eso no estaría mal. Quizá sea una buena idea".

"Ahora que no tenemos nada que hacer, ¿qué tal si tomamos un buen café?"

Estallaron en una carcajada. Constantino saca su teléfono móvil y llama al bar para pedir dos cafés.

Después de 15-20 minutos suena el interfono y dejan entrar al chico del bar. El chico en cuestión, Marino, es el hijo del dueño del bar. O mejor dicho, es su hijo adoptivo porque fue adoptado a una edad muy temprana. Nació en Libia y era huérfano. Se ha criado en Italia, es italiano a todos los efectos, pero tiene la piel de color avellana, un rostro dulce y dos hermosos ojos verdes. Max se sienta y Costantino abre la puerta y le hace pasar. Un agradable olor a café humeante recorre el aire.

"Buenos días".

"Hola, querida. Pon la bandeja ahí en el escritorio" y, mientras lo hace, sin que él se dé cuenta, cierra la puerta y se acerca por detrás presionando su braqueta contra su pronunciado trasero, mientras se agachaba para poner la bandeja. El tipo, sorprendido, se estremece pero no reacciona.

"Aquí están los cafés", dice con una voz llena de asombro.

"¿Qué dices, Max? ¿Ponemos mucha leche en este capuchino?", refiriéndose claramente al chico.

"Creo que es una muy buena idea", y se aleja con la silla mostrando al asombrado chico su polla fuera del pantalón y casi completamente empalmada.

"¡Míralo! ¿Te gusta? ¿Es eso lo que querías?", le susurra Costy al oído.

"Ven. Acércate. Arrodíllate aquí delante -le dijo Max, retrocediendo aún más con su silla y poniéndose de lado con los muslos bien separados.

"Vamos. ¿A qué esperas? No pierdas esta oportunidad -dice el socio, agarrando al joven por los hombros y dirigiéndolo alrededor del escritorio en la dirección correcta.

Él, como un autómata ebrio, se deja dirigir y lleva a cabo lo que le han dicho que haga. Se baja y se queda en éxtasis ante ese tendón desenfundado.

"¡Pobrecito! Nunca ha visto una polla viva. ¿No es así? ¿Verdad que nunca lo has visto?" Asiente con la cabeza.

"Acércate y lame. Estoy seguro de que lo disfrutarás. Vamos", le insta ella. No deja que lo repita y le da lentamente un lametón completo con la lengua de abajo a arriba, mirándole para ver si surte efecto y para recibir su aprobación.

"Mmmmm sí, bien, así".

Ante el éxito y el creciente deseo, el joven repitió la operación varias veces, cada vez con más decisión.

"¡Qué bueno eres! ¿Dónde has aprendido eso? Has visto porno. ¿Eh, chico sucio? Bien, ahora pasemos a la siguiente fase. Ahora deberías... Aaahhh, sí, eso esoo". Marino se llevó espontáneamente toda la capilla a la boca y se la zampó con gusto girando a su alrededor.

Mientras tanto, Constantino frotó su bragueta contra el trasero del joven y su polla se convirtió en hierro incandescente. Como un avezado respirador bucal, se puso en marcha a toda máquina, subiendo y bajando sobre la polla de Maximiliano, que se retorcía de placer.

"¿Quieres ver eso? Quién iba a esperar eso de un angelito tan dulce".

"Ahhhzzooo, para o me correré en tu boca", y ella lo aparta. "Es imposible que sea la primera vez que lo haces". Y se baja los pantalones y las bragas hasta la rodilla.

"Sí, es la primera vez", dice avergonzado, "pero lo deseaba tanto. Sabía que me iba a gustar. Lo sabía" y se lo vuelve a meter en la boca hasta la raíz, dejándole sin aliento.

Con la cara metida entre sus grandes y peludos muslos, los labios en contacto con el pubis y las pelotas, la nariz sumergida en el espeso vello púbico, por fin probó el olor y el sabor de un hombre de verdad.

"Porc..." y le empuja de nuevo. "Te dije que esperaras. Quítate la ropa, zorra. Quiero veros desnudos".

El chico obedece, arrojando su ropa a granel al suelo. Pero los dos hombres hacen lo mismo y, en poco tiempo, no tienen nada puesto, ni siquiera los calcetines. Por fin libres en sus movimientos, vuelven a la posición que tenían antes: Massimiliano sentado con las piernas abiertas, Marino chupando su polla doblada a 90 grados y Constantino detrás de él que mueve su polla arriba y abajo a lo largo de la hendidura de sus nalgas.

"Mmmmm, siente su piel suave y aterciopelada". Le agarra las nalgas con fuerza y las abre, metiendo la cara. Su lengua mojando y profanando el agujero rosado y sin tocar. La barba arañando la piel. "¡Mmmm, ese olor y esa tierna carne! Mira, Max, no puedo resistirme. ¿Puedo ser yo quien desflore a esta putita en celo?"

"Adelante. ¿Por qué lo preguntas?"

"Yo porque tú eres el favorito".

"Bueno, si él está de acuerdo. ¿Qué dices, zorra? ¿Quieres que te desflore?"

El niño, con la boca llena, no suelta prenda y asiente con la cabeza, aunque sus ojos muestran que está un poco asustado.

"Está de acuerdo, pero tómatelo con calma. Considera que es la primera vez". Luego, volviéndose hacia el chico, "te dolerá al principio, pero luego te gustará". Vuelve a asentir con la cabeza y, quizá para distraerse de lo que está a punto de sucederle, trabaja más con la boca.

Costy lo agarra firmemente por la parte baja de las caderas, apunta la cabeza al agujerito, empapado de saliva, y da un suave empujón. Pero nada, el agujero se resiste, la polla se desliza por el surco. Lo intenta de nuevo con un poco más de fuerza, pero de nuevo se le escapa. Es demasiado grande para ese pequeño agujero. Lo intenta una y otra vez hasta que lo consigue y la cabeza desaparece dentro con un "plop". El niño hace una mueca de dolor y se arquea con un gemido. Ambos se detienen un momento, luego él empieza a bombear de nuevo la codiciada polla y la otra se hunde centímetro a centímetro, milímetro a milímetro, un golpe tras otro, hasta la mitad del eje. Durante un rato se oyen los gemidos del chico mezclados con los gruñidos de los machos excitados. Entonces los gemidos se convierten en gemidos de placer. Está claro que le ha cogido gusto y la tripa se ha amoldado al tamaño de la polla.

"Ahora te gusta, ¿no? ¿Es cierto que te gusta?" Asiente con la cabeza, pero hay lágrimas en sus ojos.

"Eres una zorra nata. Si lo hubiera sabido antes".

Después de unos minutos, "Joder, Max, no puedo más. No puedo seguir a este ritmo. Necesito follarlo bien". No termina de decirlo cuando, como si hubiera recibido la aprobación, da dos golpes más, esta vez potentes, y se hunde hasta la raíz, partiendo el culo en dos. El adolescente grita, pero el grito se ahoga porque tiene la boca llena y la cabeza está bloqueada por las manos del hombre.

"Aaahhh, sí, ahí tienes, ohhh, por fin". Ella lo monta como un animal cachondo.

"¿Estás loco? Lo vas a romper".

"Es una zorra y una zorra necesita ser follada. Uuuhhh... aaahhh... ¡Qué agujero tan fabuloso!". Se lanza como un loco, mientras el niño se retuerce bajo esos implacables golpes de martillo que no le dejan salida. Ha dejado de chupar porque su atención está, necesariamente, en la destrucción de su culo.

"¿Qué haces, te has parado? Vamos, maricón, sigue, sigue bombeando" y le da el ritmo sujetándole la cabeza. Pasan unos 20 minutos durante los cuales podemos oír claramente, entre gemidos y gruñidos, el sonido de los potentes golpes pélvicos del hombre en sus tiernas nalgas.

"Ahora está abierto. ¡Siente lo suave que es! Mmmmm... Toma... Tómala hasta el fondo... Así... Así... Así... Me voy a correr... Te voy a llenar de semen... Aquí está... Aquí está... Pon... Aaaarrrgggghhh".

Las grandes bolas golpean sin descanso y palpitan, mientras una docena de chorros de leche caliente inseminan el vientre del chico. El hombre se tumba de espaldas y le agarra con sus fuertes brazos peludos, recuperando el aliento.

También el chico, ahora plenamente consciente de haber perdido por fin su virginidad y de tener una gran polla plantada en el culo que acaba de llenarle de esperma, se deja llevar, babeando en el suelo. Las contracciones de lo que queda del músculo anal ordeñan las últimas gotas de placer viril.

Una vez pasado el momento, se arrepiente de no haber hecho disfrutar al hombre que más le gusta y, tras agarrar la polla que tiene delante con las dos manos para poder rodearla por completo, reanuda las lamidas, las chupadas y los bombeos con mayor determinación si cabe.

"¡Puta de vaca! Pero estás caliente. Quieres probar el semen, ¿no? Pero tienes que tragártelo todo. ¿Entiendes, cachorro?" y le acaricia el pelo con ternura, pero pronto llega al punto de no retorno y la gran mano del hombre en su nuca se convierte en un vicio que empuja su gran polla hacia su garganta. Max se ve sacudido por todo el cuerpo por un largo orgasmo y explota, a menos que se retire un poco para llenarle la boca con los últimos chorros y dejar que lo saboree mejor.

Cuando todo se ha vaciado, el chico se saca de la boca la jugosa varilla, que cae agotada sobre su saco de bolas. Lo mira, brillante, y luego levanta los ojos hacia el hombre, que había dejado caer la cabeza hacia atrás, pero vuelve a levantarla en ese momento y sus miradas se encuentran. En uno hay mucho afecto, pero en el otro hay definitivamente amor. De sus tiernos labios semicerrados, húmedos de esperma, cae una gota de un lado. Max lo coge tiernamente con el dedo y se lo mete en la boca al joven, que enseguida lo chupa con devoción.

El encantamiento es roto por Constantino, que da ruidosamente una mano firme en una nalga y saca rápidamente su polla del agujero rojo obscenamente dilatado. La salida de la capilla es seguida en el exterior por un gran bulto blanco y otros más pequeños que empapan los pequeños cabellos que rodean la cueva. Le da un paquete de pañuelos de papel.

"Toma, límpiate. ¡Ahí lo tienes! Otro maricón en la Tierra para utilizarlo en momentos de necesidad".

"No digas eso, Costy. Marino es un buen tipo y debe ser respetado en su sexualidad".

Luego, volviéndose hacia el joven: "Tendremos otras ocasiones, para poder disfrutar también de tu culito. Tendremos muchos de esos, ¿no es así, cariño?". Su rostro se enrojece de vergüenza, pero sonríe alegremente.

"El café está frío ahora, pero no pasa nada", y se lo beben de un tirón.

Vuelven a ponerse la ropa y el joven camarero recoge la bandeja de las copas para marcharse, despreocupado por el dolor de su trasero y su andar inestable, cuando Max le lanza un:

"¿Qué vas a hacer esta noche? ¿Qué tal una pizza, los dos? Quizá en mi casa".

"Sí, sí, por supuesto. Estaré allí".

"Tengo entendido que también te comerás la pizza fría", añade Costantino con sarcasmo.

"Es nuestro asunto, no el tuyo", responde el socio, guiñando un ojo al chico.

Desde entonces han tenido muchas, muchas oportunidades, y Marino está encantado de ser el recogedor de balones para su hombre, que se ha encariñado cada vez más con él y ya no necesita acudir a las mujeres para vaciarse. Pero a veces siguen haciendo un trío.

15. Nuestro amor

Raffaele y yo teníamos veintisiete años. Amigos desde los dieciséis años, diferentes pero inseparables. Hablamos de todo sin filtros, sin ocultarnos nada. Parecíamos tan diferentes de la mayoría de los chicos de nuestra edad, que sólo parecían pensar en las conquistas del fin de semana o en los resultados del fútbol. A lo largo de los años, nuestra amistad se había cimentado en las diferencias que nos separaban, y había triunfado.

A veces me atrevía a pensarlo. Le quería, como amigo con la cabeza, como camarada con el corazón, pero también de otra manera: era el deseo a pesar de ser un hombre. A veces, en verano, nos sentábamos, con pantalones cortos, a jugar a las cartas o a las damas. Observaba furtivamente la cabeza rosada de su polla empujando a través de la parte inferior de la pierna de sus pantalones cortos. (¡Siempre me pregunté si lo hacía para distraer mi atención del juego!) Tomaba nota de la visión en mi mente, para utilizarla como combustible para mis fantasías. No podía hablar con él de ello. Aunque tenía una mente muy abierta, seguía pareciendo un riesgo demasiado grande. La vida sin poder tocarlo era dura, pero la vida sin su presencia era impensable.

Intenté reprimirlo, pero su visión seguía excitándome. En la playa, cuando le lanzaba un frisbee, había admirado el movimiento de sus músculos. Después de un paseo por el mar, cuando nos arrastramos a la playa y nos doramos al calor del sol. Me estiré sobre mi estómago mientras él se tumbaba de espaldas, con los ojos cerrados. Aproveché este precioso tiempo para absorberlo con la mirada. Un sinfín de pequeños detalles aparecían en el cuadro que tenía ante mí: su ombligo formando un hoyuelo en su vientre plano; su piel, muy bronceada, pareciendo aún más oscura bajo el espeso y brillante pelo negro que la cubría; su pecho elevándose con cada respiración y estirando sus pezones, pequeños y redondos, bajo la tensión que parecían dos pequeñas islas en el mar de pelo; la sangre palpitando por las venas de su cuello; el hermoso pelo flotando suavemente en la brisa; los poros de su piel y sus labios carnosos. Su rostro parecía tan sereno y atrayente. Ansiaba tumbarme sobre él, fundirme en él como la mantequilla al sol.

No había pasado nada hasta nuestra acampada anual de agosto, en la que tuve la oportunidad de beberlo todo. Un día estábamos de excursión y vimos una señal. Era de hierro pesado y las letras estaban talladas a fuego. "No se puede andar desnudo", decía. Los dos rebeldes nos miramos y sonreímos.

Dios, qué hermoso era el lugar. En el fondo del valle, un pequeño arroyo de apenas unos centímetros de ancho se ensanchaba en una larga y amplia charca, flanqueada por juncos y arbustos a un lado y por altos acantilados de arenisca al otro. Descubrimos muchas de estas pozas mientras caminábamos, una más bella y apartada que la otra, y eran sólo nuestras.

Decidimos cruzar el estanque para llegar a las rocas contra el acantilado. Como no sabíamos la profundidad del agua y no queríamos mojar nuestra ropa y demás equipaje, nos desnudamos y lo envolvimos todo en nuestras toallas. Vadeamos hasta que el agua se hizo tan profunda que tuvimos que sujetar todo por encima de nuestras cabezas y tomar impulso del fondo. Como camareros que llevan bandejas, cruzamos al otro lado. Una vez allí, salimos del agua fresca y nos tumbamos en las cálidas rocas. Desnudos, nos tumbamos de lado y discutimos nuestra buena suerte.

Al cabo de un rato, sacamos el tablero de ajedrez magnético para jugar una partida de damas chinas. Me hubiera gustado jugar con su polla, pero si no fuera por eso, mis ojos podrían recorrerlo. Arrugado por el agua fría, ahora había empezado a crecer. Si se dio cuenta de que le miraba fijamente, no lo dejó traslucir y, al cabo de un rato, levantó una pierna poniendo el pie en mi rodilla. Sus pelotas se movieron en su saco debido a la gravedad. Rodaron hacia delante. Dios, esto podría haber sido una especie de invitación, pero era tan sutil que no podía estar segura.

Rápidamente, la tarde se desvaneció y llegó el momento de montar el campamento. Ambos nos habíamos bronceado considerablemente durante el verano, pero estar con el culo desnudo al sol era una experiencia nueva y, sin querer, ¡nos quemamos las nalgas! Los pantalones cortos rozaban la delicada piel, pero era un pequeño precio a pagar por todas las bellas vistas que habíamos experimentado esa tarde.

Encontramos un lugar apartado para vivaquear y no me sorprendió cuando, al llegar al campamento, Rafael afirmó que le dolía demasiado llevar algo. Le dije que era de la misma opinión y volvimos a quitarnos la ropa. Cuando el cielo se tiñó de un naranja intenso por la puesta de sol, encendimos una pequeña hoguera, cenamos y sacamos los sacos de dormir. El aire de la noche me daba una sensación cálida y refrescante al mismo tiempo y me hacía ser muy consciente de nuestra desnudez. Como no estábamos preparados para dormir, nos desprendimos de las maletas para conversar un poco y jugar a las cartas. Todo era como por la tarde, sólo que ahora el fuego parpadeante acentuaba su entrepierna rosa claro mientras el resto de su cuerpo bronceado se confundía con la oscuridad.

Repartimos las cartas e hicimos unas cuantas rondas. Era el turno de Rafael. Empezó a morderse el labio de una manera que me hizo darme cuenta de todo, su turno iba a tardar mucho. Estaba estudiando las cartas. Estaba estudiando su polla. El baile de las llamas parecía darle movimiento. Era hipnótico.

"¿Estás jugando o no?"

"¿Eh?" Me había descubierto. "Dios, por favor, ayúdame", pensé.

"Vamos a jugar a las cartas. ¿Recuerdas?"

"Tardaste tanto que mi mente empezó a divagar". Fue un débil intento de encubrir la verdad.

"Sí, claro".

Esperaba esas palabras, pero no las había pronunciado con disgusto. De hecho, había la sombra de una sonrisa en sus labios y una mirada traviesa en sus ojos.

Me sentí más aliviado que esperanzado, pero, sin embargo, era posible que le hubiera malinterpretado todos estos años. Terminamos el juego.

"¿Qué quieres hacer ahora?", preguntó. Odiaba esa pregunta. Siempre podía pensar en una sola cosa....

"No importa", me obligué a decir. Podía soñar con ello, desearlo, pero no me atrevía a empezar a hacer.... "Estoy bastante cansado de toda la caminata que hemos hecho hoy".

"Yo también. Puedo usar tu loción... si tienes suficiente energía para ponérmela".

"Sí, puedo usar esa". Siempre tendría éxito. "Loción" siempre se traducía en "masaje corporal". Era una intimidad que nos permitíamos; un límite al que llegábamos sin dudar, pero que nunca cruzábamos.

"Tienes una loción en tus cosas. ¿Puedes frotarme un poco? Creo que hoy me he pasado con el sol".

"Claro, ponte cómodo. Vuelvo enseguida". Mientras volvía hacia él, no pude evitar pensar que ésta iba a ser la noche de la verdad. Estábamos los dos desnudos, me había pillado mirando furtivamente su polla y ahora estaba a punto de darle un masaje. Era una demostración de su confianza o una demostración de su deseo.

Yo estaba de pie sobre él. Era la visión que había soñado durante tanto tiempo. Me arrodillé y lo toqué. No era un sueño. Me eché un poco de loción en las manos y la calenté. Empezando por los extremos de sus pies, comencé a subir por sus piernas. Su cuerpo se relajó bajo mis cuidados. Cuando sentí la dureza de sus músculos, me sorprendió ver la fuerza que podían dar y luego ser tan dóciles bajo mis manos. Le masajeé los muslos, pero me detuve en el pliegue que marcaba el comienzo de sus nalgas.

Pasé a las manos, tomando conciencia de la textura de sus palmas, la textura de sus huellas dactilares y la rigidez de los huesos que daban a sus manos su poderosa forma y estructura. Pero el poder que sabía que había en ellos no era evidente esa noche. ¿Qué tenían sus manos que las hacían tan sensuales? A través de nuestras manos interactuamos con el mundo tocando. En esos momentos estábamos, de hecho, comunicándonos entre nosotros. Con su aquiescencia me comunicó la profunda confianza que tenía en mí. Mediante suaves caricias, le hablé de mi indiscutible amor por él. Los mensajes eran tan claros que todos podían oír con sus oídos o ver con sus ojos.

Mis dedos trazaron el paisaje de sus brazos y su espalda, siguiendo la fina franja de pelo que iba desde su cuello hasta su columna vertebral durante unos centímetros. La loción daba a su piel un brillo satinado que reflejaba las llamas.

Finalmente mis manos llegaron a su culo. La piel de gallina estalló en las colinas gemelas de músculo, levantando todos los pelos mientras les echaba loción. Éste era el único punto que estaba realmente escaldado y le presté especial atención. Empecé por la base de su columna vertebral, me moví hacia abajo, le masajeé las nalgas, vi cómo se abrían bajo esta acción. Cuando me acerqué a sus piernas, cambió de posición. ¡Se estaba volviendo más vulnerable! Quería zambullirme, vivir mi fantasía, pero él era para mí algo más que un pedazo de culo. Era el amor de mi vida y quería ver su cara.

"Date la vuelta, Raf", dije en voz baja. Sin dudarlo, lo hizo. Observé cómo le masajeaba los pies y las piernas. Su sumisión era clara e innegable. Pronto estuve con las piernas abiertas sobre su estómago, inclinada hacia delante sobre mis rodillas, explorando los picos y valles de sus músculos abdominales. Con cada respiración sus costillas subían y bajaban debajo de mí. Por último, di forma a su pecho maravillosamente esculpido con mis manos. Tan ancho, tan musculoso que no podía sentir sus costillas. Cuando toqué sus pezones, se contrajeron, sacando las protuberancias. Pasar los dedos por todo ese pelo tan masculino, tan viril y sexy me mareó. Sentí que se le aceleraba el pulso.

De repente, me di cuenta del calor que había entre nosotros. Habiendo perdido ya la batalla contra mi erección, ahora podía sentir un calor por detrás de mí. Me giré para mirar. Lo que había anhelado estaba ocurriendo. Era su polla, hinchada de sangre, palpitante, arqueándose hacia mí. Miré su hermoso rostro y me incliné para tocarlo y terminar el masaje. Al hacerlo, su pene empujó con fuerza contra mí. La sangre se precipitó hacia mi ingle y comencé a debilitarme. Tratando de fortalecerme, tomé su cara entre mis manos. Froté suavemente sus fuertes pómulos con mis temblorosos pulgares. Levantó una mano, la puso sobre mi hombro y abrió lentamente los ojos. A través de nuestros ojos, las ventanas de nuestras almas, se reveló todo, la verdad completa.

"Ven aquí", se ofreció.

Me bajé sobre él. Mi culo empujó contra su polla, casi pareciendo acunarla. Mi herramienta, tumultuosamente dura, se apretaba entre nuestros estómagos calientes, húmedos y lubricados. Mi lengua se encontró con la suya y nuestros labios la sellaron. Después de estar en mi boca, mi lengua se clavó en la suya. Sostuve su cabeza entre mis manos como si fuera un objeto sagrado. Sentí la aspereza de su barba de un día. "Dios mío", pensé. "Esto es lo que pasa cuando besas a un hombre".

Le rodeé con los brazos y las piernas, tan feliz como nunca había esperado serlo. Nos abrazamos, moviendo sólo nuestras lenguas, pero entonces él cogió el frasco de loción y se echó un poco en la mano.

"Ponte de rodillas, Ale". Siempre me había gustado esa vejación y sabía que me iba a gustar lo que estaba pasando. Me extendió la loción en el culo y luego deslizó un dedo en él. Me moví para aplastar de nuevo su boca con la mía. Su dedo se movió más profundamente hasta que se encontró con mi próstata. Sentí que un fluido cruzaba toda la longitud de mi pene y se extendía por su estómago. Un gemido escapó de mi boca y lo sentí vibrar en su pecho. Oí el crujido de la loción mientras su enorme erección me empujaba.

"Hazlo. Hace mucho tiempo que lo deseo -confesé finalmente-.

Con una mano tiró de mí hacia delante; con la otra se acomodó para alcanzar mi ansioso agujero. Entonces me tiró contra él. Sentí que me abría y me tensaba cuando la cabeza de su polla empujaba. Con un reflejo condicionado, mis brazos le rodearon con fuerza. Permanecimos inmóviles abrazados hasta que me relajé. Poco a poco su vara me penetró más y más. Mis pelotas se clavaron en la almohadilla de su vello púbico y supe que su polla había llegado. Mi corazón bombeó sangre a los vasos de mi esfínter, esforzándose hasta el punto de sufrir espasmos, al ritmo del miembro palpitante.

Había esperado tantos años. Lentamente me senté y le miré. Permaneciendo en mi interior, abrió aquellos ojos angelicales en los que brillaba una sonrisa diabólica. Empezó a moverse suavemente de un lado a otro. Su pecho se elevó y, con un gemido bajo, descendió. Hicimos el amor lentamente y, cuando nuestros movimientos se acentuaron, ella extendió una mano hacia mí, tocando primero mi polla y luego rodeándola.

Nos acercamos rápidamente al punto de explosión. Nuestros cuerpos brillaban de sudor y nuestra respiración se volvía agitada. Cuando la acción de su mano sobre mí se hizo más frenética, me di cuenta de que había llegado al límite.

"Podría hacer esto toda la noche, Raf, pero si sigues así, ¡voy a ir!"

"¡Mierda, chico, haremos esto toda la noche! Nadie dice que sólo puedas correrte una vez al día. Ve!"

Ya lista para correrme, dirigí mi atención hacia él, quería llevarlo a la cima conmigo. Llevé una mano por detrás y sentí cómo su eje se deslizaba dentro y fuera de mi eje. Deslicé mi mano hacia abajo y la coloqué bajo sus pelotas. Con mi pulgar empujé con fuerza donde la parte inferior de su polla se encontraba con su escroto. Su cuerpo se tensó completamente y se puso rígido. Había llegado a su próstata por el camino más fácil. No emitió ningún sonido, ni una respiración, no hizo ningún movimiento. Se agarró a mi eje como si cayera en una grieta, pero no tenía otra opción. Apreté suavemente sus huevos empujándolo hacia el precipicio y decidí seguirlo.

Sentí el primer espasmo de su carne y la explosión en mis entrañas. Eso me ha hecho estallar. Mi culo se contrajo alrededor de él mientras seguía bombeando dentro de mí. Cada uno de nosotros se alimentó del orgasmo del otro. Salí disparada con mi crema, que aterrizó en su pecho bronceado. Se formó un pequeño charco en el hueco de la base de su cuello. El cuerpo que antes había estado tan tranquilo mientras lo masajeaba se desató ahora al explotar dentro de mí. Una oleada tras otra de convulsiva gratificación nos invadió. Me derrumbé contra él, mi semilla sirviendo de cal para cimentar nuestros cuerpos. Debajo de mí sentí que se estremecía por última vez.

No hizo ningún intento de quitársela, pero pronto aquella terrorífica polla, que había estado tan dura y tan larga, empezó a desinflarse y, desgraciadamente, a deslizarse.

Me acosté junto a él. Dedos de los pies contra dedos de los pies y lengua contra lengua, giramos las piernas, nos besamos y luego nos levantamos sobre los codos. Ninguno de los dos dijo nada durante mucho tiempo. Fue un momento mágico; nuestros besos se unieron, pero eso no era lo importante. Fueron nuestras mentes las que se unieron.

Rafael rompió el hechizo. "¿Crees que ahora puedes concentrarte en una partida de cartas?" ¡Cómo se burló!

Ahora era completamente de noche. Fue mi primera noche de sexo real. Y fue mi primera noche de amor verdadero. Pero también fue la primera noche de una certeza: habíamos llegado a un punto en nuestra relación en el que nos dimos cuenta de que a los ochenta años estaríamos sentados juntos en un banco del parque, sin movernos nunca por separado, siempre una parte de nosotros estaría en la vida del otro.

16. Seducido

Por aquel entonces tenía 24 años, era soltero y gay, vivía en un pequeño piso mientras terminaba la universidad y trabajaba en una tienda.

Era tarde, justo antes de la hora de cierre, cuando entró el maldito chico guapo.

Estaba detrás del mostrador cuando sentí que alguien me miraba. Volví la cabeza y era aquel apuesto adolescente.

"Sí, ¿puedo ayudarte?" pregunté, estudiando su hermosa sonrisa y su cuerpo joven y excitante. Miró a su alrededor. Éramos las dos únicas personas en la tienda y preguntó con un guiño: "¿Dónde están los condones?".

Le miré fijamente a los ojos azules y no apartó la mirada. Solté una risita y le grité: "¡Sal de aquí, idiota!".

Parecía indignado, como si dijera: "¡Cómo te atreves!

"¿Quieres decir que no vendes condones?" Preguntó con toda la valentía posible. "¡Fuera de aquí, eres demasiado joven para lo que estás hablando!" Dije y tras una pausa: "¡Vamos, salid!". grité.

"¡Tienes una erección!" Gritó saliendo corriendo de la tienda riendo y yo negué con la cabeza hasta que me di cuenta de que tenía una revista porno gay en el mostrador con el inserto del medio bien visible. "¡Estás caliente!" Gritó el chico asomando la cabeza por la puerta: "¡Te quiero!". Disparó dando un portazo.

"Está loco". murmuré, doblando la revista y colocándola bajo el mostrador.

"Hola, ¿te acuerdas de mí?" El mismo chico preguntó la noche siguiente más o menos a la misma hora.

"¡Cómo he podido olvidarte!" Dije, sonriéndole y mirando fijamente sus ojos brillantes.

"¿Puedo esperarte cuando acabes de trabajar?"

"¿Esperar a qué?"

"Esperar a que termines y luego ir a tu casa si me dejas comprar una caja de condones". Murmuró mirándome.

"¿Por qué demonios necesitas preservativos? No puedes tener más de 13 años". Añadí.

"Tengo 16 años y quiero comprar una caja de condones, ¿y qué?"

"Apuesto a que no tienes el dinero".

"¡Mira!" Exclamó, sacando una cartera del bolsillo trasero: "¿Cuánto necesitas?".

Me di la vuelta y cogí una caja de condones de la estantería.

"Diez euros". Dije, golpeándolos en la caja.

"¿Puedo obtener un descuento?" Preguntó.

"Son nueve euros sin IVA".

"Aquí tienes diez, gracias". Dijo poniendo los condones en el bolsillo delantero de sus vaqueros.

"Aquí tienes el cambio y ¿qué vas a hacer con los condones? No los llenes de agua y no los dejes caer desde el balcón sobre las cabezas de la gente". Dije, riendo.

"No te preocupes, no los usaré así y te lo demostraré después con un par de ellos si me llevas a casa contigo".

"¿Qué estamos en una cámara oculta o algo así?"

"¿Qué es la cámara oculta?" Preguntó con expresión aturdida: "¿Puedo quedarme aquí y hablar contigo hasta que venga alguien o hasta que termines de trabajar?"

"Me parece bien"

Más tarde

"Mi nombre es Tommy y el tuyo?"

"Tony".

"Me gusta tu barba puntiaguda". Susurró: "Y además tienes una gran sonrisa. No me afeito, aún no he empezado". Y añadió.

"¡No tenía ninguna duda!" Me reí.

"Crees que estoy bromeando, ¿no?"

"¿Sobre el hecho de que nunca te has afeitado?" Le pregunté y se rió como yo.

"¿Tienes novio?"

"¿Quién te ha dicho que soy gay?"

"Sé que eres gay, te vi con un chico muchas veces el año pasado y sé dónde vives".

"¿Estás acechando?" pregunté riendo.

"¿Te gusto?"

"No lo sé. ¿Crees que soy guapo?"

"Creo que eres muy guapo". Susurró.

"Desde luego que sí". Le contesté.

"¿Me enseñarás a besar?"

"No me creo lo que estoy oyendo".

"Por favor, no estoy bromeando, creo que eres genial". Murmuró.

"¿Lo has hecho alguna vez?" pregunté, sin poder creer lo que le estaba preguntando. "Todavía no".

"¿Es una broma, tengo casi el doble de tu edad?"

"¡Tienes treinta años!" Declaró.

"¡Muérdete la lengua!" bromeé. "Sólo tengo 24 años".

"Lo siento, pensaba que tenías treinta años, y no creo que una persona de treinta años sea vieja, ¿vale?"

"DE ACUERDO". Le contesté.

"¿Así que tienes novio?"

"No".

"Ese chico con el que te vi tantas veces el año pasado, ¿es tu novio?"

"No, o más bien sí, pero ya no, nuestra relación no funcionaba". Murmuré con frustración y me di cuenta de que estaba mirando la entrepierna del joven.

Me apoyé en el estante de los cigarrillos y me puse la mano en la ingle.

Tommy se acercó y puso su mano sobre la mía, sonriendo de oreja a oreja.

"¿Qué coño estoy haciendo?", me pregunté mientras sentía que mi polla se agitaba.

"Hace mucho frío, ¿eh?" preguntó Tommy, metiendo las manos en los bolsillos del pantalón y acercándose.

"Eres alto para tu edad, ¿eh?" He dicho.

"Un metro setenta", respondió.

"Mido 1,70 m. Quítate la chaqueta". Dije quitándome el mío mientras miraba su entrepierna, que mostraba un bulto cada vez mayor.

"Me gusta tu casa". Dijo en voz baja mientras miraba a su alrededor.

"Vuelvo enseguida". Dije, yendo a la cocina a por whisky y coca-cola.

"¿Una copa?" Pregunté.

"DE ACUERDO". Dijo aceptando el vaso.

"Yo no los hice fuertes". Murmuré mientras me sentaba a su lado en el sofá: "¿Has cerrado la puerta con llave?".

"¡No había pensado en eso!" Dijo, poniéndose en pie de un salto.

Volvió con una gran sonrisa y se sentó a mi lado.

"¿Puedo tocar tu cara?"

"¿Tienes una erección?" Pregunté mirando su ingle.

"Uh uh". Murmuró ruborizándose y mirando la tensión de mis pantalones.

"¿Lo has hecho alguna vez?" Pregunté.

"Ya me lo has preguntado. No, no lo he hecho".

"Bien, ¿estás nervioso?"

"Un poco, ¿y tú?"

"Sí".

Sus labios rosados vibraron. Sus párpados se agitaron cuando empezamos a besarnos.

"Hazlo despacio". Murmuré, mordisqueando sus labios.

"Me encantan tus labios, me encanta besarte. Y sé que quiero hacerlo". Añadió, acariciando mi mejilla.

"Vamos a terminar nuestras bebidas y luego abriremos el sofá cama". Susurré.

Me incliné hacia atrás, lo tomé en mis brazos y cuando inclinó la cabeza hacia atrás, bajé para besar sus cálidos labios.

Puse mi mano derecha en su bulto. "Oh", gimió suavemente.

Presioné su bulto. Con la palma de la mano, le di la vuelta, mordisqueando lentamente sus labios carnosos.

"¿Estás goteando?"

"¡Muy!" Susurró.

"Levántate y te las quitaré". murmuré.

"¿A qué hora tienes que estar en casa?" pregunté, desabrochando su cinturón.

"¡A mi padre no le importa nada!"

"¿Me chupas la polla mientras yo te chupo la tuya?"

"¡Oh, sí, hombre!" Murmuró.

Se estremeció y le dije: "No llevas ropa interior, ahora se te van a caer los pantalones hasta los tobillos".

Su polla estaba completamente dura. No parecía muy largo, ¡pero sí grande! "Quítate la camisa y el chaleco de la cabeza". Dije en voz baja, llevando mis manos a los lados de sus muslos.

La polla de él era recta y dura como un hueso y se curvaba hacia su duro vientre.

"Bolas dulces". Dije en voz baja, golpeando sus huevos con la punta del dedo.

Tommy se retorció y gimió.

"¿Bolas sensibles?" Pregunté.

"Uh uh". Murmuró.

"¿Quieres que te las chupe?"

"¡Sí, hombre sí!" Se quejó.

"Estás jodidamente caliente". Dije en voz baja, pasando dos dedos por la parte inferior de su grueso pene.

Le pedí que se quitara los pantalones mientras me quitaba la camiseta de cuello de pico.

"¿Puedo tocar tu pecho?" Preguntó.

"Uh uh". murmuré, inclinándome unos grados hacia atrás.

"¡Es tan cálido y suave!" Dijo suavemente pasándole los dedos por el pelo del pecho. "¡Necesitas hacer mucho ejercicio!" Añadió frotando mis pectorales.

"Aparta la mesita, ponte de rodillas y quítame los zapatos, los calcetines, los pantalones y los bóxers". Dije, sonriendo.

"¿Está bien?" pregunté cuando observó mis veinte centímetros.

"¿Te gusta?" Pregunté.

Asintió con la cabeza hacia arriba y hacia abajo. Vi cómo aumentaba su sonrisa. Agité mi erección y él jadeó y soltó una risita.

"¿Te gustaría chuparme un poco la polla?"

"De acuerdo". Murmuró, arrastrándose entre mis piernas.

"No sé si has chupado alguna vez una polla, pero si no lo has hecho no uses los dientes". Dije en voz baja, abriendo las piernas: "¿Te gustan mis huevos colgantes?".

"¿También puedo tocarlos?"

"Eres libre de hacerlo, pero trabaja mi prepucio". Susurré.

"Nunca lo he hecho". Afirmó.

"Muy bien, haz lo que creas conveniente".

Su mano cálida y sus suaves dedos se sintieron muy bien en la base de mi polla y me retorcí cuando sus dulces labios me pellizcaron el prepucio.

"Echa la cabeza hacia atrás y tira de ella". murmuré. "Mete la punta de la lengua en el prepucio". susurré mientras le pedía que rebuscara en mis pelotas.

"Eso es, Tommy, trabaja el glande por encima del prepucio, lentamente. Dale una buena chupada a mi polla, eso es Tommy, aprieta los labios con fuerza, mete la punta de tu lengua en mi agujerito y déjame gotear de nuevo, chupa Tommy, chupa".

Le pellizqué la barbilla y le di un beso apasionado: "Eres un chupapollas nato". susurré, guiñándole un ojo.

"¡Ven aquí, túmbate en mi regazo, te acariciaré la polla, jugaré con tus preciosos huevos y luego te la chuparé!"

Me echó los brazos al cuello mientras nos besábamos. Susurró y se retorció mientras mi cálida mano acariciaba lentamente su gruesa polla. Utilicé la punta de un dedo para hurgar y pinchar su escroto liso y apretado, seguimos besándonos mientras mi mano derecha acariciaba lentamente su vara.

"Dime cuándo te vas a correr para que pueda chuparte la polla un par de minutos antes de que te corras en mi boca". Dije mordiéndose los labios.

"¡Chúpame por favor!" Me suplicó.

"Relájate Tommy, relájate, ahora vamos". Dije, inclinándome para tomar su pene en mi boca.

Le pellizqué ligeramente el testículo derecho y Tommy gimió.

Estaba moviendo la cabeza arriba y abajo un poco rápido.

Apreté los labios en cuanto sentí el chorro de su polla en el fondo de mi boca. Su dulce semen adolescente golpeó con fuerza la parte posterior de mi garganta. Tragué, girando la cabeza para tomar toda la longitud. Disparó una enorme carga mientras yo me tragaba la cabeza de su pene.

No me tragué su última carga. Tras retirar mis labios de su capilla, levanté la cabeza, le miré a los ojos, sonreí y apreté los labios. Tommy giró la cabeza, sujetando la mía con la mano izquierda para acercar nuestros labios.

"Mmm", murmuré dejando que su última carga se filtrara por los labios. "¡No tragues!" Dije tirando de él hacia mí. "Vuelve a metérmela en la boca".

Nos abrazamos y nos besamos apasionadamente después de intercambiar su dulce semilla. "Ahora vamos a abrir el sofá cama". Dije y lo hicimos.

"¿Dónde están los condones?" Le pregunté y se rió mordiéndose el labio.

"¡Estoy aquí!" Dijo después de rebuscar en su bolsillo.

"Pon una en mi polla". Dije pellizcando la base de mi polla.

"¿Te han follado alguna vez?" le pregunté mientras le veía desenrollar el condón en mi pene.

"No"

"Quieres que te folle tu bonito culo, ¿verdad? Quieres darme tu virginidad, ¿verdad?".

"Usa todo el lubricante que quieras". le dije, entregándole un tubo. "Aprieta un poco en mi palma, quiero lubricar tu culo apretado y caliente". Dije mordiendo sus cálidos labios.

"Seguro que tienes ganas de mear". Dije, acariciando suavemente su próstata con la punta de mi dedo.

Le pedí que se pusiera de pie con las piernas separadas sobre mis caderas: "Mantendré la polla recta así. Tendrás que ponerte en cuclillas lentamente y yo empujaré la cabeza hacia tu culo. Hazlo despacio, no te caigas encima".

Le expliqué que lo retendría si bajaba su trasero demasiado rápido sobre la capilla de mi erección.

"Ok Tommy, hazlo ahora, mi polla está estirando tu agujero, agarra mis brazos, mírame, ok".

Gritó un poco y gimió.

"Relaja ese bonito culo y si te duele quítalo de mi capilla". Dije agarrando sus antebrazos.

Tuve que quedarme tranquilo sabiendo que iba a hacer que me corriera mientras me follaba su culo virgen o por su culo apretando mi polla.

"¡Mírame Tommy!" Te lo supliqué. "Si te duele, dilo. Lo dejaremos para otra ocasión".

"Te quiero, quiero que me folles, quiero oírte follar y follar y follar mi culo".

"No si te duele, ¿vale?" Dije inclinándome para besar sus dulces labios.

Apartó su trasero de mi vara.

"¿Estás agitado?" Preguntó.

"Un poco".

"¿Quieres intentar follar conmigo en otra posición? ¿Es eso lo que quieres?"

"No creo que sodomizarte por detrás sea bueno, Tommy, pero creo que si nos tumbamos de lado será mejor". murmuré sacando la cabeza de mi polla de su trasero mientras me situaba frente al sofá con Tommy a cuatro patas con el trasero echado hacia atrás.

"Así está mucho mejor, ¿no?" Pregunté apoyando la barbilla sobre su hombro, sujetando su pierna derecha suspendida en el aire mientras guiaba mi polla hacia su trasero virgen.

"¡Oh, sí!" Suspiró cuando la mitad de mi erección se deslizó en su trasero.

"¡Está tan jodidamente apretado!" murmuré.

"No me duele, ¡sólo me aprieta mucho!" Ella respondió, moviendo el culo un par de centímetros.

"Sí Tommy, así y podrás coger toda mi longitud y apretar en la raíz de mi polla". Dije girando la cabeza para mordisquearle la oreja.

Su mano derecha tocó el lado derecho de mi cara.

"¡Es tan bonito!" Susurró.

"¿Puedo empujar mis caderas completamente hacia delante?" Pregunté besando el interior de su muñeca.

"Uh uh". Él respondió.

"Levanta esta pierna cinco centímetros". Dije empujando mis caderas hacia delante: "Perfecto, está todo dentro y tus pelotas empujan contra mi pubis".

"¡Estás muy buena!" Dijo, apretando su culo alrededor de la base de mi pene.

"Te soltaré la pierna. Tienes que decidir si quieres mantenerlo suspendido. Deslizaré mi mano bajo tu brazo derecho y te acercaré más a mí para frotar tu suave pecho, tu vientre y tus abdominales". Susurré.

"Oh", gimió cuando moví mi erección.

"¿Te duele?"

"No"

"Me gusta tu pecho liso y tu vientre duro y ¿qué es esto?" pregunté cuando mi mano derecha golpeó la cabeza de su polla.

"Ah, sí, y además está goteando". murmuré, usando las yemas de los dedos para retorcer su sensible capilla.

"Yum", dije, llevándome la punta de los dedos a la boca.

"¿Quieres un poco?" pregunté, besando su mejilla.

"¡BIEN!" Él respondió.

"¡Chúpate esa, Tommy!" Dije en voz baja, ofreciéndole las yemas de los dedos.

"Oh", gruñó cuando lo pellizqué, se retorció y empujó mi erección profundamente dentro de su trasero virgen.

"¡Nunca me he sentido tan caliente en toda mi vida!" Dije mordisqueando un lado de su cuello: "¡Qué bien sienta!". Añadí frotando su suave pecho y su vientre.

"¿Quieres que acaricie esto, chico, tu gran polla?" pregunté riendo bajo mi bigote.

"¿Te gusta?" Preguntó, girando la cabeza.

Nos besamos apasionadamente mientras las yemas de mis dedos acariciaban suavemente su pene.

"¡Me encanta tu polla!" Dije en voz baja besando el costado de su cuello.

"¿Puedo hacer que te corras otra vez?"

"De acuerdo, Tony".

"¿Serás capaz de eyacular con mi polla en el culo?"

"¡Estoy tan cerca!"

"¡Dispara tu semilla!" Susurré.

"No cierres los ojos Tommy, dispara tu semen para mí, mira Tommy, mira, se está viniendo y tu culo está apretando mi polla tan jodidamente fuerte, dispara todo tu semen Tommy, ¡dispara!"

"Ahora dame un poco de tu semen caliente y bébete el resto". Dije moviendo la cabeza bajo su brazo derecho.

Me dio su semilla caliente en la palma de la mano izquierda.

"Mmm", murmuré saboreando su dulce y pegajosa semilla joven.

"Bésame Tommy, tus labios están cubiertos de tu semen". Dije, echando la cabeza hacia atrás.

Le pellizqué la barbilla, girando su cabeza. Me miró fijamente a los ojos, sonrió y apreté mis labios contra los suyos.

"Ahora estás listo para ser follado, es agradable en tu trasero, ¿no es así Tommy?" Pregunté. "¡Se siente tan bien!" Contestó empujando su culo contra la base de mi crispada erección.

Masajeé suavemente su jodido y suave pecho. Le froté el duro vientre y los abdominales mientras le follaba apasionadamente. Masturbé su suave vara y jugué con sus pelotas mientras lo follaba un poco más rápido y luego más rápido.

"¿Todo bien, cariño?" Pregunté.

"¡Vas a hacer que me corra otra vez!" Él respondió.

"Eso me hace sentir de maravilla. Me voy a correr pronto, pronto, pronto Tommy, pronto". Gimoteé, cerrando los ojos y apoyando la barbilla sobre su hombro para alcanzar su vara, de nuevo dura.

Mi semilla de hombre caliente llenó el condón. Mi capilla estaba nadando en mi semen. "¡No puedo dejar de correrme, correrme, correrme así!" Jadeé apretando su polla mientras empezaba a correrse de nuevo.

"¿Puedes quedarte conmigo esta noche?", le pregunté y arrulló como una paloma cachonda.

"Nunca he follado sin condón. ¿Puedo hacerlo contigo?" Pregunté.

"¿Estás seguro de que siempre has utilizado un preservativo?"

"Te juro que es verdad y que es cierto que nunca te han follado hasta que lo he hecho yo".

"¡No hasta que me cojas!" Dijo en voz baja, rodando sobre su espalda.

"De acuerdo, Tommy, ponte de lado otra vez y te meteré la polla en el culo otra vez. No quiero volver a follarte, pero voy a dejar mi polla en tu culo para que se mantenga tensa".

"¿Qué estás haciendo?" pregunté mientras estábamos acurrucados después de haber apagado todas las luces.

Movía suavemente su culo para follar mi polla.

"¿No quieres echarte una siesta?" pregunté, besando su nuca.

"¡Fóllame, por favor!" Me suplicó.

"Si lo hago me correré en tu culo".

Movió el culo cada vez más rápido.

"Vale Tommy, tómate tu tiempo, vamos a hacer el amor".

Agradecimientos

Aquí llegamos al final de esta colección.

Gracias una vez más por comprar mi libro; ¡espero sinceramente que estés satisfecho!

Si te han gustado las historias, te invito a dejar una reseña y a seguirme en mis canales sociales (¡hay cuatro historias gratis esperándote!)

allmylinks.com/erosandlovegay

THE
SMART LiTTLE
MOUSE

By Will Wood

Illustrated by Peter Allen

THE
SMART LiTTLE
MOUSE

At some time in our lives, we believe that we have arrived at the point we can honestly say *"I have been there and have done it all."*

Then, a little bundle of joy appears and proves you wrong.

This story is for Emilia.

Two hundred little eyes were looking out through a hole in the wall at a block of cheese, trying to figure out how they could get the whole piece into their nest.

Venturing out and nibbling at it was out of the question, it would take forever.

Not to mention the fact that they would be completely exposed to the cheese guardian; a big mean cat, that had placed the truckle between his front legs.

The cat had no interest whatsoever in the cheese, he was waiting patiently to pounce

The mice were doing their best to come up with a plan - get to the cheese, break off a piece and get back safely. Several unsuccessful attempts later, the mice regrouped and an assembly took place.

The discussion was rising in intensity. Frustration increased. An epidemic of hunger quickly spread through the nest as hope and the daily bread were in decline.

Babies and children cried in hunger. Mothers whined in despair, and fathers had almost given up.

Four had been caught and were trapped in a cage behind him.

The mice were doing their best to come up with a plan - get to the cheese, break off a piece and get back safely. Several unsuccessful attempts later, the mice regrouped and an assembly took place.

The discussion was rising in intensity. Frustration increased. An epidemic of hunger quickly spread through the nest as hope and the daily bread were in decline.

Babies and children cried in hunger. Mothers whined in despair, and fathers had almost given up.

"We need a miracle," shouted a voice to no one in particular.

And no one in particular responded, "Aye, aye."

"We will remove the cheese from his very feet", cried out another.

They all turned their heads towards this cry of hope.

And then they laughed.

The voice belongs to a young mouse, that all considered to be a bit strange and eccentric.

"And how will we achieve thus?" Inquired one of the elders.

"This is not a game, this is not fantasy, Will. This is for real."

Will spent most of his time alone, emerged in his books and fantasising he was one of the heroes he read about.

One day he could be Edmond Dantès, the next Don Quixote or even el Zorro.

He would immerse himself into the character and imitate it to perfection.

Today he was a Mouseketeer, fully dressed and with a sword in hand.

"Fear not my dears, I have a plan."

"Shareth thy plan," answered an elder sarcastically.

"Shareth I will," responded Will.

Will told them how he had been studying the situation for days and that he had an idea to outwit the cat. They would have to trust him and trust each other for it to be a success.

"One mouse can't carry all the cheese." He explained, "But all the mice can carry one truckle."

After some consideration, the elders reached an agreement. If the plan worked, which most of them doubted, the mice would feed. If it failed, they would be in the same predicament but without this weird mouse.

"Go forth, brave Mouseketeer and good luck."

Will emerged from the hole and marched straight to the cat.

The cat observed the new arrival and demanded an explanation.

"Who are you, and what do you want?"

"I am a Mouseketeer who has no fear. I shall removeth the cheese from thy very nose."

"Shall thou?" laughed the cat.

"Well, I am the meanest of all cats who feasts on mice and rats. I would like to see you try."

Will climbed up the cheese and stood in the middle facing his rival.

"On guard," Will cried as he drew his sword.

"On guard," echoed the cat, as he exposed his claws.

"I will cut thee into little pieces, and thou shall become a Splinter-teer," laughed the cat ironically.

"We shall see." said Will.

The cat was fast, but not fast enough. Will's movements were so swift and coordinated that the cat had no chance. He missed Will time after time and cut into the cheese instead.

"Stand still for a moment and I shall quickly dispose of thee, you Pest-keteer."

By now all the mice had left the safety of their nest. With their backs against the wall, they waited for Will to give the signal.

After a few quick moves, Will was holding on to the edge. His sword buried in the cheese.

"Now I have thee!" Said the cat, as he launched a side blow with all his might.

"Nowwwwww!" shouted Will.

He sprang from the cheese and landed safely on the floor next to the cage.

All the mice ran towards the cheese which had been cut into a thousand little squares by the sharp claws. They all ran back into the hole.

Soon, the cheese was gone.

The stunned cat was slow to react. When he did, Will had rescued the prisoners, and the cheese had disappeared. How did this happen?

"All for one, and cheese for all."

"Touche." Shouted Will
as he entered the hole.

"Touche,"
echoed a
hundred fold.

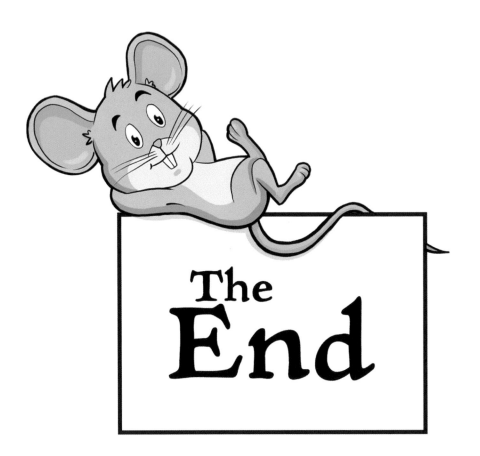

The
End

Printed in Great Britain
by Amazon